Les démocraties arabes
du XXIIe siècle

Joachim Reichenthal

Les démocraties arabes du XXIIe siècle

Un grand roman de politique-fiction

isca

CHAPITRE 1

Paris janvier 2160. Abdel Arat, Abdallah Traboulsi, Abdelaziz Faykal et David Klein sont quatre étudiants en master de droit international à l'Université de Paris Panthéon-Assas dans le quartier Latin.

Abdel Arat était le fils de l'ambassadeur de Syrie en France. Son père connaissait depuis longtemps l'ambassadeur du Liban en France, et c'est pourquoi Abdel Arat avait souvent fréquenté Abdallah Traboulsi. De plus, ils avaient tous les deux rencontré à plusieurs reprises Abdelaziz Faykal, le fils de l'ambassadeur de Jordanie. Les trois familles se fréquentaient souvent à Paris, et c'est pourquoi ils avaient été dans le même lycée du quartier Latin et avaient décidé d'étudier ensemble à la faculté de droit de l'Université de Paris Panthéon-Assas.

Abdel Arat était un jeune homme charismatique avec de longs cheveux noirs et un physique d'athlète. Abdallah Traboulsi avait lui le profil type du jeune Arabe du Liban. Il avait de courts cheveux noirs et était un petit peu gros. Abdelaziz Faykal portait des lunettes et avait les cheveux blonds. Ce qui était rare pour un Arabe de Jordanie. David Klein était un juif franco-israélien avec des longs cheveux blonds, des lunettes et un corps d'intellectuel qui ne faisait pas trop de sport. Ils avaient tous les quatre beaucoup de charisme et se connaissaient depuis des années. Ils avaient étudié ensemble au niveau *bachelor* et avaient eu le temps de bien apprendre à se connaître.

Jamais ils n'auraient pu imaginer que trente ans après ils entreraient dans l'Histoire avec un H majuscule.

David Klein était juif, mais il avait décidé d'intégrer une loge maçonnique en suivant le conseil de son professeur de droit constitutionnel. Abdallah Traboulsi avait entendu la conversation et avait décidé de tenter sa chance aussi. Il en avait discuté avec son ami Abdel Arat et son autre ami Abdelaziz Faykal.

Ils avaient tous entre 24 et 25 ans et devaient obtenir leur master 2 l'année suivante. La question de préparer un doctorat se posait. David Klein n'était pas un juif raciste et avait essayé d'être diplomate envers ses camarades de classe arabes. De toute façon, un État palestinien existait depuis soixante ans, car les Israéliens en avaient eu ras le bol des comparaisons odieuses entre les nazis et les Israéliens à la fin du XXᵉ siècle et au début du XXIᵉ siècle.

David Klein discutait avec Abdallah Traboulsi avant le cours de droit pénal international :

– Tu sais qu'il y a beaucoup d'hommes politiques qui fréquentent des loges maçonniques.

– Je sais, il y a même beaucoup de ministres qui sont ou ont été francs-maçons.

– Tu pourrais rencontrer des gens qui pourraient aimer votre projet de démocratiser le Proche-Orient. De plus vous êtes célèbres maintenant.

– Il ne faut pas exagérer, tout le monde ne lit pas *Le Figaro*…

– Quand même. Sympa cet article : « des étudiants en droit libanais, jordaniens et syriens veulent créer un grand parti arabe laïc et prendre le pouvoir dans leur pays ».

– Je sais, c'était Abdel Arat qui avait eu l'idée d'aller au ministère de la Défense pour y discuter du projet.

– Comme quoi les journalistes écoutent partout.

– On verra après notre master 2 ou plutôt après notre doctorat. Et surtout dans dix ou vingt ans

– Moi je pense plus pour trente ou quarante ans. Il vous faudra retourner dans nos pays et devenir des ministres pendant des années. Pour vous faire connaître de vos peuples.

– Toi, ton père est ministre en Israël, tu as déjà un nom.

– Comme ton oncle au Liban. Et le père d'Abdel Arat a été nommé comme ambassadeur de Syrie en France. De plus, le père d'Abdelaziz Faykal a été ministre dans le gouvernement jordanien. Son nom de famille est un peu connu en Jordanie. C'est pour cela qu'il est devenu ambassadeur de Jordanie en France.

– Vos deux familles se fréquentent, je crois.

– Oui, l'ambassadeur de Jordanie a un très bel appartement près de la place de la Concorde, et mon père habite près du Louvre en tant qu'ambassadeur du Liban.

– Trois ambassadeurs du Proche-Orient ont leur fils étudiants en droit dans une université près du Panthéon.

– Oui. Marrant. C'est aussi pour cela que nous nous connaissons par rapport au travail de nos pères.

Abdel Arat arriva avec Abdelaziz Faykal. Le cours de droit pénal international allait commencer.

Durant le cours, Abdelaziz Faykal commença :

– A mon avis, nous devrions préparer un mémoire de master en lien avec la démocratisation du Proche-Orient. On se fera un nom et on sera publié.

– Je crois qu'on peut surtout publier notre thèse de doctorat comme un livre. On se fera connaître en tant que docteurs en droit, répondit Abdel Arat.

– Tu crois vraiment que les services secrets français lisent toutes les thèses de doctorat ? demanda Abdallah Traboulsi.

– Pas toutes les thèses de doctorat ou les mémoires de master, mais certains titres attirent l'attention... répondit Abdelaziz Faykal.

Cela faisait cinq mois qu'ils fréquentaient tous les quatre une loge maçonnique pas très loin de l'Opéra de Paris. Ils avaient choisi le Grand Orient de France par rapport au nom « Orient ».

Durant leurs nombreuses séances à la loge maçonnique, ils avaient pu discuter avec des députés, des anciens ministres, des professeurs d'université, des commissaires de police et même des membres des services secrets français ou des employés du ministères de l'Intérieur. Leurs discours avaient souvent comme thèmes la démocratisation du Proche-Orient.

Abdel Arat avait été invité à dîner chez un frère qui travaillait au ministère des Affaires étrangères. Abdel avait choisi comme mémoire de master un sujet sur la démocratisation complète de la Syrie et une réforme du droit syrien calquée sur le modèle français.

Abdelaziz Faykal songeait déjà à une thèse de doctorat sur son pays. Il voulait écrire sur la compatibilité du système politique français en Jordanie avec une étude spécifique sur l'abandon du droit religieux au profit de lois séculières jordaniennes votées par des députés non religieux. Le religieux ne devait pas se mêler de politique.

Abdallah Traboulsi voulait écrire une thèse de doctorat sur l'application politique de lois votées dans les pays arabes sans référence à l'islam ou à des théories religieuses. Il voulait écrire sur la séparation de « l'Eglise » et de l'Etat, mais dans les pays arabes. La fameuse loi de 1905 en France, mais dans les pays arabes.

Les ambassadeurs de Syrie, du Liban et de Jordanie en France prenaient de plus en plus d'importance à Paris et ils avaient souvent été invités à l'Elysée. Leurs enfants étaient venus plusieurs fois. C'était justement au palais du président de la République que le fils de l'ambassadeur de Syrie et de celui de Jordanie avaient été approchés par des membres du ministère de l'Intérieur et des services secrets français.

Avant d'entrer en salle de classe, Abdallah Traboulsi commença à discuter avec Abdel Arat :

– Tu as vu les nouvelles en Syrie ? Un certain Abdul Boutefika a décidé de créer un parti laïc syrien.

– Oui. J'ai vu. Et ils vont faire pareil au Liban.

– Comme quoi on n'est pas les seuls à avoir ce genre d'idée. En Jordanie, il n'y a rien, mais cela peut se créer rapidement.

– On pourrait s'inspirer de Mustafa Kemal Atatürk.

– Juste. Inspiré par la Révolution française, Mustafa Kemal Atatürk mit un terme au règne du sultan et instaura la laïcité avec une séparation entre les pouvoirs politique et spirituel. Il occidentalisa la Turquie à travers plusieurs réformes.

– Moi je pense que ce serait bien d'être en lien avec ce nouveau parti arabe laïc en Syrie. Après mon doctorat, je me verrais bien enseigner, un jour ou deux, à l'Université de Damas.

– C'est possible ça ?

– Ben oui ! Tu n'as pas lu les livres de droit ? Il y a plein de professeurs qui donnent parfois des cours à l'étranger. Parfois pour un jour ou deux.

– Juste. Je me verrais bien donner un cours d'introduction au droit français en arabe. Cela fait plus de quatre ans que l'on apprend le droit français.

– Ou un cours de droit européen et en arabe…

– On verra cela plus tard. Tu as raison.

Paris, juillet 2161, Abdallah Traboulsi, Abdel Arat, Abdelaziz Faykal et David Klein ont tous réussi leurs études en juin.

Abdallah Traboulsi et Abdel Arat ont été acceptés comme doctorants à l'Université de Paris Panthéon-Assas. David Klein a décidé de partir faire son doctorat à l'Université de Jérusalem, et Abdelaziz Faykal a décidé de faire le sien dans son pays, la Jordanie.

Abdallah et Abdel discutaient devant la faculté de droit en face du Panthéon :

– Tu sais qu'après notre doctorat on pourrait très bien enseigner, un jour ou deux, au Liban ou en Syrie à l'université.

– Je sais, cela permettrait de nous faire connaître dans ces pays.

– On a étudié le droit français pendant plus de cinq ans et aussi du droit européen. Je vais écrire à l'Université de Beyrouth.

– Et moi à l'Université de Damas. Je vais proposer un cours d'introduction au droit européen par exemple.

– Ou un cours d'introduction au droit français et en langue arabe.

– Bonne idée. On peut déjà écrire au doyen des facultés de droit de Beyrouth et Damas en expliquant que l'on attend d'avoir obtenu notre doctorat.

– De toute façon, on donne déjà des cours ici à des petites classes comme assistants.

– Juste. Il est évident que c'est à mettre sur notre C.V. qui va être envoyé à Beyrouth et Damas.

– Tu sais que ce nouveau parti arabe laïc en Syrie veut s'inspirer du Turc Mustafa Kemal Atatürk et de sa révolution kémaliste en 1923.

– Je sais, je l'ai lu. Il est vrai que ce grand homme franc-maçon que fut Atatürk a quand même prouvé qu'il est possible de diriger un pays musulman laïc.

– Il a fait inscrire le principe de laïcité dans la Constitution de ce grand pays musulman.

– Ce fut un grand homme qui pourra nous inspirer plus tard.

– Oh ! oui. C'est lui qui en 1923 occidentalisa la Turquie, donna ensuite le droit de vote aux femmes et mena une révolution sociale sans précédent.

– En fait, il instaura la laïcité en Turquie avec la séparation entre le pouvoir politique et le pouvoir spirituel.

– Ah ! ça c'est clair...

CHAPITRE 2

Paris, septembre 2166. Abdallah Traboulsi est devenu professeur de droit international privé à l'Université de Paris Panthéon-Assas, et Abdel Arat, professeur de droit international public dans cette même université.

De plus, Abdel Arat a aussi réussi à devenir professeur de droit européen à l'Université de Damas. Il va donner des cours deux jours par semaine en Syrie et partage donc ses semaines entre Damas et Paris. Lorsqu'il a publié son dernier livre de droit international public à l'intention de ses étudiants de Paris, il a bien mis qu'il enseignait à l'Université de Paris Panthéon-Assas et l'Université de Damas en Syrie.

Abdallah Traboulsi enseigne seulement à Paris, mais il est de plus en plus souvent invité à l'Université de Beyrouth pour des conférences. Il a même rencontré le doyen de la faculté de droit de l'Université de Beyrouth et a encore proposé ses services pour un cours d'introduction au droit européen. Un cours de droit international public est aussi envisagé par le doyen.

David Klein a obtenu son doctorat et il est devenu un professeur de droit international public à l'Université hébraïque de Jérusalem. De plus, il a parfois aidé de façon discrète le gouvernement et le Parlement israélien. Il est membre du parti laïc israélien, et ce parti a obtenu de plus en plus de députés au Parlement avec les années. Il est devenu le deuxième parti du Parlement et il est en coalition avec la droite israélienne au pouvoir.

Abdelaziz Faykal a obtenu son doctorat en droit il est devenu député au sein du parti arabe laïc de Jordanie. Ils ne sont pas beaucoup au

Parlement, mais il a l'ambition de prendre la tête de ce parti et d'en augmenter le nombre de députés au Parlement. Abdel Arat et devenu un membre du parti arabe laïc syrien, et Abdallah Traboulsi, un sympathisant du parti arabe laïc libanais.

Abdallah Traboulsi et Abdel Arat sont en train de déjeuner au restaurant gastronomique de l'hôtel Bristol de Paris. Abdallah commence à parler :

— Tu sais que j'entends de plus en plus de remarques racistes envers les Arabes à la faculté de droit.

— Je suis au courant. Même des professeurs font parfois ce genre de remarques.

— Ma femme est médecin et elle m'a dit qu'elle pourrait s'installer à son compte à Damas.

— Juste. Ma femme est, comme tu le sais, professeur à Sciences Po, et il est vrai qu'elle pourrait très bien enseigner l'économie politique à l'Université de Beyrouth.

— Tu te rappelles de notre rencontre en 2165 avec des francs-maçons à Washington ?

— Oh ! oui. Durant ce colloque de droit international à l'Université de Georgetown à Washington.

— Certains avaient lu et étudié en français nos deux doctorats. Très impressionnant.

— On n'était que tous les deux, je crois.

— Non. Notre ami juif David Klein qui enseigne à l'Université de Jérusalem était aussi là, mais pas notre ami jordanien.

— Il publie de plus en plus de livres, notre ami David Klein.

— En tout cas, il nous a bien défendu auprès des francs-maçons américains et de la communauté juive américaine.

— La salle de classe de l'Université de Georgetown était vraiment classe.

— Oui. Et tu te rappelles du grand restaurant après ?

— Bien sûr, c'était le restaurant gastronomique de notre hôtel, je te rappelle.

– Comme on avait bu de l'alcool, on avait pu prendre l'ascenseur juste après pour se coucher.

– La discussion sur la franc-maçonnerie aux Etats-Unis était très intéressante.

– Oh ! oui. La comparaison entre nous, le marquis de La Fayette et Georges Danton était plus que flatteuse. Ou encore Napoléon et ses frères. La politique intérieure de Napoléon, bien sûr. Ses guerres n'ont pas été très admirables.

– Les historiens ne sont toujours pas certains à 100 % que Napoléon était franc-maçon.

– Juste. Mais il est vrai que je me verrais bien imposer les droits de l'homme au Proche-Orient et aider à y rédiger une déclaration des droits des Arabes.

– Une déclaration des droits de l'homme dans les pays arabes n'a pas besoin d'être imposée. Ce n'est pas très démocratique.

– Juste. Tu as raison...

Damas, octobre 2168. Abdel Arat a définitivement quitté Paris, comme Abdallah Traboulsi, et s'est installé dans une luxueuse villa à Damas. Il donne désormais plusieurs cours de droit européen et de droit international public à la faculté de droit de l'Université de Damas. Il s'entendait bien avec le doyen et le recteur et se demandait s'il ne pourrait pas devenir un jour le recteur de l'université. Il y songeait, car des rumeurs circulaient que le recteur avait un cancer et qu'il faudrait le remplacer.

Abdel Arat avait invité Abdallah Traboulsi, professeur de droit public à l'Université de Beyrouth, à un dîner chez lui et commença :

– Alors Abdallah, tu es bien installé à Beyrouth ?

– Oui. On a acheté une charmante villa avec vue sur la mer. Ma femme est ravie.

– Elle a dû rester à Beyrouth ?

– Oui. Désolé. Elle s'est fracturé le bras. Mais ça va. Elle devrait reprendre les cours lundi prochain.

– Elle enseigne toujours l'économie politique à l'Université de Beyrouth ?

– Oui, et ses étudiants sont toujours fascinés par son expérience de professeure à Sciences Po Paris. C'est grâce à elle que de plus en plus d'étudiants libanais partent un ou deux ans étudier à Sciences Po Paris.

– Juste. Tu me l'avais dit.

– Et ta femme, ça va ?

– Oui. Elle travaille en fait à l'hôpital de Damas et devrait arriver.

– C'est pour cela que nous buvons un apéritif. Nous attendons ta femme.

– Eh bien ! oui.

– Et le parti arabe laïc de Syrie se porte bien ?

– Tu sais que je suis maintenant le juriste officiel de ce parti politique.

– Je sais, tu as même rédigé les nouveaux statuts de cette association politique.

– Les buts de notre parti politique sont de ne surtout pas passer pour des extrémistes. On est un parti du centre.

– Evidemment. C'est pour cela qu'il y aura de plus de députés de ce parti dans la plupart des pays arabes maintenant.

– Il est vrai que la jeunesse arabe devient de plus en plus laïque alors que les vieux se déplacent de moins en moins pour aller voter.

– De plus, l'islamisme politique attire de moins en moins. La courte période de l'Etat islamique au début du XXIe siècle n'a pas duré.

– C'est clair. Les Occidentaux avaient tout fait pour que cet Etat islamique ne renaisse pas de ses cendres.

– J'ai entendu dire que notre ami jordanien était toujours député au Parlement de Jordanie.

– Oui. Il est possible d'être député et professeur de droit à l'université, il n'y a pas d'incompatibilité. De plus, il est professeur de droit public comme toi. Par contre, il donne très peu de cours, car il veut devenir président du parti arabe laïc de Jordanie.

– Il est vrai que depuis la réforme constitutionnelle de 2110, le président jordanien est le chef d'Etat. Le roi de Jordanie n'a qu'un rôle symbolique.

– Le chef du parti majoritaire au Parlement jordanien devient souvent le président de la Jordanie.

– C'est pourquoi je songe aussi à me faire élire député.

– Moi aussi. Je vais voir.

– Tu sais que le mois passé je suis allé à Jérusalem pour y revoir David Klein ?

– Ah oui ?

– David Klein est devenu député et professeur d'université en droit international public. Il nous a fait rencontrer les députés du parti laïc israélien. Ils sont nombreux à la Knesset. La majorité des juifs religieux se sont habitués au fait que la politique doit être pratiquée par des gens très diplômés.

– Laïc veut dire très diplômé ?

– Pas vraiment, mais le fait est que tous les députés du parti laïc israélien ont le niveau master, et beaucoup ont même étudié un an à l'étranger après leur master. Il y en a même vraiment beaucoup qui ont un doctorat.

– Je vois où tu veux en venir. Le parti arabe laïc syrien ou libanais doit recruter des personnes qui ont un très bon niveau universitaire.

– Exactement. C'est comme cela que l'on gagnera contre les islamistes. Ils ne pourront jamais tenir dans des débats face à des universitaires surdiplômés.

– Il est vrai qu'en France on a eu des présidents et des ministres surdiplômés. C'était incroyable parfois...

CHAPITRE 3

Beyrouth, janvier 2170. Suite à plusieurs réformes constitutionnelles au Liban, en Jordanie en Syrie le hasard des choses voulut que les élections législatives et présidentielles se passent la même année, en 2170, dans ces trois pays. Le Liban, la Jordanie et la Syrie avaient copié le système politique français, sauf que les élections législatives se passaient avant les élections présidentielles. Ce fut en raison de l'admiration pour la France que ce système politique fut choisi. Comme dans ces trois pays, le chef du parti majoritaire se présentait aux élections présidentielles, des experts politiques européens estimaient que le Liban, la Jordanie et la Syrie étaient devenus en fait des régimes parlementaires. L'élection présidentielle restait quand même.

Les professeurs de droit constitutionnel en Syrie, au Liban et en Jordanie estimaient que les électeurs qui votaient pour un parti politique au moment des élections législatives garderait la même logique pour les élections présidentielles. De toute façon, le Parlement dans ces trois pays était un vrai pouvoir. Il fallait donc éviter à tout prix la « cohabitation » qu'avait connue parfois la France à la fin du XXe siècle.

2170 était donc une année électorale. En avril 2170 devaient se passer les élections législatives, et en mai les élections présidentielles. Le mandat durait cinq ans. Les partis politiques ressemblaient à ceux du pays de la Révolution française, sauf que le parti arabe laïc, qui était un parti du centre, tenait la laïcité au centre de tout. Il est vrai que de nombreux responsables politiques au Liban, en Syrie et en Jordanie

19

avaient étudié en France et ils eurent leur mot à dire durant la dernière réforme constitutionnelle.

Ainsi, la gauche devint le parti socialiste arabe ; la droite, le Parti de la droite arabe ; l'extrême gauche, le Parti communiste arabe ; et l'extrême droite, le Front national islamiste arabe. Par contre, c'était seulement le parti arabe laïc, parti du centre, qui voulait faire essentiellement des réformes laïques. Le parti socialiste avait quelques projets dans ce sens, mais ni la droite ni l'extrême droite ne voulaient faire des réformes en lien avec la laïcité. L'Egypte envisageait ce genre de réformes et était en train d'attendre. Par contre, le parti arabe laïc d'Egypte existait déjà, mais n'avait presque pas de députés. En Irak, ce parti n'existait pas, et encore moins en Palestine ou en Arabie saoudite. En Israël par contre, le parti laïc avait de plus en plus de députés à chaque élection.

Le parti arabe laïc de Syrie et celui du Liban voulaient s'inspirer de la révolution kémaliste du grand Mustafa Kemal Atatürk et l'évoquaient à plusieurs reprises. Le parti arabe laïc de Jordanie l'affichait moins, car ce pays était plus loin de la Turquie. En Israël, il arrivait que des députés du parti laïc israélien évoquent la révolution kémaliste en Turquie, mais il est vrai que ce pays n'était pas de culture musulmane. Par contre, le parti laïc israélien militait pour la création d'une véritable laïcité. Il est vrai que beaucoup de députés de ce parti au Parlement israélien avaient grandi dans la France laïque. En fait, la majorité des députés du parti laïc israélien avaient un lien familial avec la France.

A Damas, Abdel Arat avait invité chez lui son ami le professeur Traboulsi du Liban et commença :
– Tu sais, je vais me présenter aux élections législatives d'avril. Je me suis bien renseigné et il est possible d'être professeur de droit à l'université et député.
– Juste. Au Liban et en Jordanie c'est pareil. Je pense que je vais faire comme toi. De toute façon, le parti arabe laïc du Liban me l'a déjà proposé.

– Je crois que notre ami de Jordanie a déjà fait son choix. Il milite de plus en plus au sein du parti arabe laïc de Jordanie.

– Je sais, en tant que professeur d'université il a un certain charisme et il est un très bon orateur. Je pense qu'il ira loin.

– Très juste, il vise le poste de président du parti arabe laïc de Jordanie.

– Moi aussi j'y songe au Liban. Et toi ?

– Possible, je verrai si je suis élu député.

– Notre ami David Klein de Jérusalem vise aussi la présidence du parti laïc israélien. Il est un professeur d'université respecté.

– Moi aussi, tu as lu mon dernier livre de droit ? Comme tu sais, nous devons en écrire obligatoirement pour nos étudiants à l'université.

– C'est normal. C'est de la doctrine. Notre ami de Jordanie m'a dit qu'il envisageait de mettre « député au Parlement jordanien et professeur à l'Université d'Amman » à la sortie du prochain livre de droit qu'il écrit.

– Les élections législatives se passent en avril en Syrie, en Jordanie et au Liban. C'est marrant.

– Ce n'est pas vraiment une coïncidence, puisque les parlements de ces trois pays collaborent depuis des années et que c'était plus logique pour eux.

– Par contre, en Israël c'est un pur hasard.

– C'est clair, le Premier ministre israélien était beaucoup plus corrompu que je ne le croyais. C'est marrant d'imaginer qu'il pensait surtout à gagner énormément d'argent.

– Oh ! oui. Il a donc dû démissionner, et les élections en Israël se passeront aussi en avril.

– Drôle de coïncidence aussi.

– Pas vraiment, la majorité des députés au Parlement israélien estimait que ce serait un beau symbole de faire des élections législatives en même temps que la Syrie, la Jordanie et le Liban. Les journalistes en avaient beaucoup parlé.

– Donc le mandat durera cinq ans en Israël, au Liban, en Jordanie et en Syrie.

– Oui, si nous sommes élus, nous pourrons nous représenter en 2175 et aussi en 2180.

– On pourra viser plus haut en 2180.

– Qui sait...

Ils discutèrent encore pendant une heure.

A Amman, le professeur Faykal estimait qu'il pourrait prendre la présidence du parti arabe laïc de Jordanie. Il en avait parlé avec le trésorier du parti. Il attendait d'être élu député pour y songer. De plus, il devait devenir un bon député qui rassemble ses troupes. Le mois d'avril approchait, et il avait donc commencé à évoquer sa candidature durant son cours de droit à l'Université d'Amman. Le recteur de l'université le lui avait autorisé, mais lui avait demandé de ne pas en faire trop niveau « prosélytisme » politique. C'est le mot que le recteur de l'université d'Amman avait utilisé.

Le professeur Faykal enseignait maintenant le droit public à l'université et donnait donc assez logiquement un cours sur la Constitution jordanienne. Il est vrai que la Jordanie, comme le Liban, la Syrie et Israël, avait maintenant une véritable Constitution. Ce fut au début du XXIIᵉ siècle que ces quatre pays décidèrent de se doter de véritables Constitutions à l'européenne. De plus, ils s'inspirèrent de celles de la France, de la Suisse, de l'Italie et de l'Allemagne.

Le professeur de droit public savait qu'il plaisait à beaucoup d'étudiants et même à beaucoup d'étudiantes. Ils avaient tous l'âge pour voter, et il en avait parlé à son ami, le professeur Arat de Damas qui lui aussi avait un certain charme. Le professeur Traboulsi du Liban aussi et il s'était dit qu'il pourrait avoir de nombreux électeurs dans le milieu universitaire.

Le professeur Arat de l'Université de Damas demanda l'autorisation à son recteur, sympathisant du parti arabe laïc syrien, et il fut autorisé à évoquer devant ses étudiants son intention de se présenter aux élections législatives d'avril pour le parti arabe laïc de Syrie.

Le professeur Traboulsi, après avoir découvert que ses deux amis avaient reçu l'accord du recteur de leur université, en demanda l'autorisation au sien à l'Université de Beyrouth. Il est vrai que le parti arabe laïc n'était ni un parti communiste ni un parti raciste. De plus, ce parti du centre attirait de nombreux arabes occidentalisés.

Donc ces trois professeurs eurent l'aval de leur recteur et de leur université pour dire aux étudiants qu'ils se présentaient aux élections législatives d'avril pour le parti arabe laïc et parler un peu du programme de ce parti et bien sûr de leur programme en tant que futur député.

De plus, les universités de Beyrouth, de Damas et d'Amman décidèrent d'organiser quelques débats politiques en mars et en avril. De toute façon, les associations étudiantes étaient déjà très politisées et préparaient des évènements. De surcroît, des étudiants des universités de Damas, de Beyrouth et d'Amman eurent l'idée d'effectuer plusieurs sondages, et les résultats montrèrent un net rejet des partis extrémistes. Le parti socialiste syrien arrivait en tête à l'Université de Damas, et le parti arabe laïc, à l'Université de Beyrouth et celle d'Amman. Par contre, le parti de la droite arabe ne plaisait pas trop à la jeunesse pour l'instant. Ce parti politique visait plutôt les 30-80 ans...

CHAPITRE 4

Damas, mars 2170. Le professeur Arat commençait à se faire bien connaître dans la capitale. Il avait participé à deux débats à la télévision, et les experts politiques estimaient qu'il irait loin en politique. Le parti arabe laïc était en fait tellement ravi de son talent d'orateur qu'il lui avait proposé de prendre la présidence du parti. Pour cela, il devait bien sûr devenir député, mais selon plusieurs journalistes ce n'était qu'une simple formalité.

A Amman, le professeur Faykal avait de plus en plus d'admirateurs à l'université. Le recteur avait été tellement impressionné par ses talents politiques qu'il avait demandé aux membres du parti arabe laïc un nouveau vote pour en désigner le président. De nombreux étudiants de l'Université d'Amman militaient en sa faveur et estimaient qu'il allait devenir le nouveau président du parti arabe laïc de Jordanie.

A Beyrouth, le professeur Traboulsi ne visait pas encore le poste de président du parti arabe laïc du Liban, car un grand ami en était actuellement le président. Selon plusieurs sondages, la droite devait arriver en tête, mais le parti arabe laïc pouvait espérer la deuxième ou la troisième place. Le parti de droite était conservateur et avait réussi à manipuler un peu les débats en évoquant un complot maçonnique ou, pire, un complot judéo-maçonnique.

L'extrême-droite ne s'était pas privée d'en parler. De plus, l'extrême droite n'avait pas hésité à publier sur internet que le professeur Traboulsi de Beyrouth, le professeur Arat de Syrie et le professeur Faykal d'Amman avaient été francs-maçons à Paris. De plus, le parti d'extrême-droite avait réussi à prouver avec des photos que ces trois professeurs avaient connu à Paris le professeur Klein de l'Université de Jérusalem. Par je ne sais quel hasard, l'extrême-droite syrienne avait même trouvé une photo de ces quatre professeurs devant le Grand Orient de France à Paris. Il y en avait aussi une autre des quatre professeurs d'université devant le Panthéon à Paris lorsqu'ils avaient 24 ou 25 ans.

A la suite de ces violentes polémiques, le professeur Arat avoua qu'il était toujours franc-maçon et qu'il fréquentait la loge maçonnique de Damas. Le professeur Traboulsi fit pareil. Par contre, le professeur Faykal raconta qu'il ne fréquentait plus de loge maçonnique par manque de temps. A la télévision israélienne, le professeur Klein reconnut aussi qu'il ne fréquentait plus de loge maçonnique, car il était trop occupé.

Heureusement, la haine de l'extrême droite pour la franc-maçon-nerie « juive » choqua tellement les journalistes du Liban, de Syrie, de Jordanie que beaucoup de reportages en sa faveur passèrent à la télévi-sion. Plusieurs journalistes avouèrent leur sympathie pour la franc-maçonnerie, et plusieurs experts furent invités dans des émissions politiques. Les Libanais, les Syriens et les Jordaniens découvrirent avec stupeur que les présidents américains Roosevelt et Truman avaient été francs-maçons. Ils découvrirent aussi que le Premier ministre Winston Churchill et le président turc Mustafa Kemal Atatürk l'avaient aussi été.

De plus, des historiens jordaniens, libanais et syriens expliquèrent à la télévision que, durant la Révolution française de 1789, le marquis de La Fayette, George Danton, Camille Desmoulins et Jean-Paul Marat furent francs-maçons. Ils n'oublièrent pas non plus de dire que beau-coup de signataires de la fameuse déclaration d'indépendance des Etats-Unis d'Amérique de 1776 étaient aussi francs-maçons.

A la suite de ces reportages, une majorité d'étudiants des universités de Damas, de Beyrouth, d'Amman et même de Jérusalem s'intéressèrent de plus en plus à la franc-maçonnerie, et des débats en sa faveur furent organisés de plus en plus souvent dans ces universités.

En Israël, ce fut une très bonne nouvelle d'apprendre que le professeur de droit franc-maçon Arat visait la présidence du parti arabe laïc de Syrie et que le professeur de droit Faykal, ancien franc-maçon, visait celle du parti arabe laïc de Jordanie. La franc-maçonnerie utilisait souvent des termes hébreux qui évoquaient le temple du roi Salomon d'Israël. De plus, Adolf Hitler et le maréchal Pétain avaient détesté les francs-maçons. C'est pourquoi des émissions politiques israéliennes évoquèrent de plus en plus souvent la franc-maçonnerie et leurs liens avec le peuple juif.

Suite à toutes ces attaques de l'extrême-droite contre ces malheureux professeurs de droit, les membres du parti arabe laïc de Jordanie décidèrent d'élire le professeur Abdelaziz Faykal comme président du parti arabe laïc de Jordanie. A Damas, le pauvre professeur de droit Abdel Arat fut tellement insulté sur internet que le parti arabe laïc de Syrie décida de changer la date des élections pour la tête du parti.

Deux semaines plus tard, les membres du parti arabe laïc de Syrie désignèrent le professeur d'université Arat comme président du parti arabe laïc de Syrie. Il en fut très heureux et décida de téléphoner à son ami le professeur Traboulsi de Beyrouth :

– Cher ami, tu as vu le résultat des élections au sein de mon parti politique ?

– Oh ! oui. Moi je vais encore attendre, car j'ai un ami proche qui est président de ce parti.

– Tu m'en avais parlé. Tu sais que maintenant des avocats de mon parti politique vont attaquer les militants d'extrême-droite qui m'insultent et me calomnient sur internet.

– J'en ai entendu parler. Ils vont le faire gratuitement. C'est gentil.

– Ils attendent un retour d'ascenseur. Je suis contre la corruption, mais je verrai si je peux les aider sans enfreindre la loi.

– Il me semble évident que tu vas être élu député.

– Je l'espère, car cinq ans chef de l'opposition en dehors du Parlement cela serait moins bien.

A l'université de Damas, le professeur Arat fut accueilli durant son cours du lundi matin avec beaucoup d'applaudissements. La principale chaîne d'information de Damas avait fait un reportage sur le nouveau président du parti arabe laïc et avait évoqué ses études à l'Université de Paris Panthéon-Assas. Une présentatrice syrienne s'était même déplacée à Paris pour faire un reportage devant le Panthéon. Elle n'oublia pas de dire que cette université se trouvait devant le monument aux grands hommes avec un petit clin d'œil. Le père d'Abdel Arat était un ancien ambassadeur de Syrie en France, et il est vrai que cela faisait maintenant très longtemps. La présentatrice avait demandé au père du professeur Arat de féliciter son fils devant la caméra.

À l'université d'Amman, le professeur Faykal avait lui aussi de nombreux soutiens dans le milieu universitaire. L'association des étudiants en droit et l'association des étudiants en sciences politiques de l'université d'Amman militaient pour le parti arabe laïc de Jordanie et faisaient de bonnes campagnes marketing.

Le problème était que les actuels présidents de Syrie, de Jordanie et du Liban étaient membres du parti de droite et avaient la majorité au Parlement. Selon des experts politiques, ce serait dur de changer l'esprit conservateur. Surtout que le mot « laïc » faisait peur à beaucoup de musulmans pratiquants en Syrie, en Jordanie et au Liban.

Les présidents de la Syrie, de Jordanie et du Liban se présentaient pour un deuxième mandat, mais le président de la Syrie avait dit à la télévision qu'il ne se représenterait peut-être pas en 2175.

Les élections législatives étaient donc pour avril, et les électeurs jordaniens, syriens, libanais et israéliens attendaient les résultats avec impatience...

CHAPITRE 5

Avril 2170, le second tour des élections législatives venaient de se terminer. Le parti de la droite avait gagné en Jordanie, en Syrie et au Liban. Par contre, le parti arabe laïc était arrivé second en Jordanie et en Syrie. Au Liban, il était le troisième parti au Parlement. Il ne fallait pas oublier que les présidents du Liban, de la Syrie et de la Jordanie étaient de la droite et qu'ils se présentaient de nouveau. Les Jordaniens, les Syriens et les Libanais avaient peut-être eu peur d'un trop grand changement et d'un tournant laïc.

De plus, le lien avec la franc-maçonnerie était délicat pour le parti arabe laïc de Syrie, de Jordanie et du Liban. En Israël, le parti laïc restait la deuxième force au Parlement, et la droite avait encore gagné les élections. La corruption n'avait pas trop entachée le nouveau chef de la droite, puisqu'il était un ancien juge à la Cour suprême d'Israël. Par contre, il envisageait de prendre dans son gouvernement de plus en plus de ministres du parti laïc israéliens.

A Damas, le professeur Arat fut élu député de sa circonscription, et à Amman le professeur Faykal fut lui aussi élu député. Comme il n'y avait pas d'incompatibilité entre la fonction de député et le métier de professeur d'université, le professeur Arat et le professeur Faykal pouvaient continuer à donner des cours à leurs étudiants.

A Beyrouth, le professeur Traboulsi avait été aussi élu député de sa circonscription. Il en avait discuté avec le président du parti arabe laïc du Liban et il songeait à le remplacer en cas de maladie grave.

En Israël, le professeur Klein fut à nouveau élu député, mais le Premier ministre, ancien juge à la Cour suprême, pensait à lui pour le poste de ministre des Affaires étrangères. Son lien d'amitié avec le chef du parti arabe laïc de Syrie et celui de Jordanie n'était pas à prendre à la légère. Surtout que sa secrétaire lui avait montré la photo qui circulait sur internet devant le Grand Orient de France à Paris. De toute façon, le parti laïc israélien était la seconde force au Parlement.

En devenant le président du parti laïc arabe en Syrie, le professeur Arat était automatiquement candidat à l'élection présidentielle pour son parti politique. Le professeur Faykal devenait lui aussi candidat à l'élection présidentielle en Jordanie. Au Liban, le professeur de droit Achad était le candidat du parti arabe laïc pour l'élection présidentielle.

Les électeurs syriens, jordaniens et libanais étaient en général assez logiques. S'ils avaient voté majoritairement pour un parti politique, ils voteraient pour le candidat du parti majoritaire. Par contre, les journalistes syriens et jordaniens n'arrêtaient pas de parler de ce fait historique et révolutionnaire : le parti arabe laïc était arrivé second aux élections législatives de Syrie et de Jordanie. Plus d'une trentaine de députés de ce nouveau parti politique entraient dans ces deux parlements. C'était historique.

Le professeur Arat, envisageait déjà une candidature à l'élection présidentielle de 2175 ou 2180 en Syrie, et le professeur Faykal aussi en Jordanie. Le professeur Traboulsi se demandait s'il ne tenterait pas sa chance en 2175. De toute façon, il était presque impossible de devenir président d'un pays sans avoir été avant député ou ministre. Il y avait eu plusieurs exceptions en Europe par exemple.

Les journalistes syriens et jordaniens connaissaient très bien le monde politique et il était évident que les petits partis politiques n'avaient aucune chance. Le parti socialiste arabe de Syrie ou de Jordanie pouvait avoir ses chances, mais les journalistes se focalisaient sur le parti arabe laïc. Certaines émissions politiques évoquèrent subtilement le franc-maçon Atatürk ou les francs-maçons Roosevelt et Truman. Malheureusement, l'extrême-droite rappela le risque d'avoir un président de Syrie enjuivé par la franc-maçonnerie. En Jordanie, le candidat à l'élection présidentielle du parti arabe laïc était un ancien franc-maçon, mais l'extrême droite jordanienne fit croire qu'il l'était toujours et qu'il vénérait l'architecte du roi Salomon d'Israël.

Au premier tour de l'élection présidentielle, le candidat de la droite en Syrie arriva en tête, suivi du candidat du parti arabe laïc, tout comme en Jordanie. Par contre au Liban, le candidat de la droite fut légèrement devancé par le candidat socialiste.

Une semaine avant le second tour de l'élection présidentielle en Syrie, la chaîne de télévision principale organisa le grand débat entre le président sortant et le candidat du parti arabe laïc. Le présentateur commença :

– Messieurs, j'espère que vous êtes prêts pour ce grand débat inédit dans l'histoire de la Syrie entre deux docteurs en droit. Monsieur le président de la Syrie, le hasard vous a désigné pour commencer le débat.

– Je vous remercie, je tiens à féliciter le professeur Arat qui est allé très loin dans cette campagne présidentielle.

– Merci à vous, j'espère que ce débat sera courtois.

– Je vous l'assure, monsieur le franc-maçon.

– Vous m'attaquez ?

– Non, je veux juste que les électeurs syriens sachent que vous avez étudié en Europe alors que moi j'ai étudié en Syrie. Mon pays.

– Où voulez-vous en venir ?

– La franc-maçonnerie a été inventée en Angleterre, et de nombreux présidents américains ont été francs-maçons. Nous sommes en Syrie ici.

– Vous pensez vraiment que je ne peux pas gouverner la Syrie à cause de cela ?

– La Syrie est un pays musulman. Il y a certes de nombreux musulmans non pratiquants, mais je ne suis pas certain qu'ils voudront un espion de l'étranger pour diriger notre pays.

– Un espion de l'étranger ?

– Oui. Des francs-maçons ont comploté pour prendre le pouvoir en France à plusieurs reprises.

– Nous pourrions changer de sujet ?

– Vous n'êtes pas habitué à ce genre de débat. Moi je sais qui choisiront les vrais musulmans de ce pays.

– Monsieur, nous devons savoir qui sera apte à diriger notre pays.

– Mon parti a gagné les élections législatives. Vous le savez très bien.

– Mon parti est le second du Parlement, nous pourrions très bien nous arranger avec cela.

– J'en doute. Mais si voulez que l'on change de sujet nous allons le faire.

– Merci.

– Comme cela, vous avez très bien connu l'actuel ministre des Affaires étrangères d'Israël ?

– Euh...

– Nous vous écoutons, moi et les citoyens syriens.

– Il est vrai que nous avons étudié ensemble à la faculté de droit de l'Université de Paris Panthéon-Assas.

– Et vous avez fréquenté la même loge maçonnique à Paris. Il est beau, le complot judéo-maçonnique.

– Je suis très déçu par cette attaque digne de l'extrême-droite.

– Il est vrai que le complot juif n'est pas prouvé, mais mes services secrets m'ont apporté la preuve que vous avez bien connu à Paris l'actuel ministre des Affaires étrangères d'Israël.

– Vos services secrets ont enquêté sur moi ?

– Je vous rappelle que je dirige toujours la Syrie. Je suis toujours le chef.

– La Syrie a signé un traité de paix avec Israël il y a presque quatre-vingt-dix ans. Les juifs ne sont plus nos ennemis.

– Ne vous énervez pas, monsieur le débutant en politique.

– Vous me provoquez ?

– Si vous le voulez, nous allons choisir un autre sujet.

– Merci.

– Il est vrai que la Syrie a signé un traité de paix avec Israël il y a quatre-vingt-dix ans.

– Merci de le reconnaître.

– Par contre, je ne suis pas sûr que le peuple syrien accepte votre grande proximité avec des Israéliens.

– Pardon ?

– Vous êtes allé à Jérusalem rencontrer des députés du Parlement israélien, non ?

– Euh...

Le débat continua comme cela pendant une heure. Le pauvre professeur dû subir plusieurs attaques subtiles d'un expert en politique. Il avait été naïf...

En Jordanie, le candidat du parti laïc eut à subir le même genre d'attaques. Il semblait évident que le président de Syrie et le président de Jordanie en avaient discuté et avaient été aidés par des experts en communication.

En mai 2170, le président syrien, le président jordanien et le président libanais furent réélus pour un second mandat présidentiel...

CHAPITRE 6

Damas, mai 2173. Cela fait maintenant trois ans que le professeur Arat est député au Parlement syrien. Son débat avec l'actuel président de la Syrie lui a fait une énorme publicité et pas seulement en Syrie. En 2172, il a été désigné par des journalistes syriens comme l'un des dix meilleurs députés du Parlement. De plus, suite aux attaques de l'actuel président de la Syrie sur son lien avec la franc-maçonnerie au second tour de l'élection présidentielle, il fut désigné comme l'un des meilleurs députés experts en Syrie sur cette société secrète.

Depuis trois ans, à chaque fois qu'il y avait un évènement politique dans ce monde en lien avec la franc-maçonnerie, il était invité sur les plateaux de télévision. De plus, il avait un réel talent d'orateur, et même ses ennemis politiques au Parlement le reconnaissaient. Il semblait évident pour la plupart des analystes politiques qu'il se présenterait à nouveau à l'élection présidentielle et aurait un second débat avec l'actuel président de la Syrie.

Au Liban, le député Traboulsi en avait profité pour se faire souvent inviter à la télévision dans des émissions politiques. Son ami Arat était aussi devenu célèbre au Liban, et c'est pourquoi il avait avoué fréquenter la même loge maçonnique que lui à Paris durant ses études universitaires. Cela faisait trois ans qu'il se rendait à des émissions politiques à la télévision et il commençait à se faire bien connaître des Libanais. Certains experts politiques estimaient qu'il pourrait bientôt remplacer l'actuel président du parti laïc arabe libanais et se présenter aux élections présidentielles de 2175.

En Jordanie, le député Faykal continuait à donner quelques cours à l'université et à publier un ou deux livres de droit, comme les députés Arat en Syrie et Traboulsi au Liban. Il était aussi devenu célèbre en Jordanie suite au débat avec l'actuel président de ce pays. Il avait été naïf d'imaginer arriver au pouvoir sans passer souvent à la télévision. C'est pourquoi il acceptait toutes les demandes des émissions politiques pour se faire de plus en plus connaître. Il avait aussi insisté pour paraître souvent dans la presse écrite.

En Egypte, le parti laïc arabe de ce pays avait réussi à faire entrer 15 députés aux élections de 2172. Ce n'était pas beaucoup, mais c'était un bon début sachant qu'à Bagdad 8 députés du parti arabe laïc irakien était entré au Parlement à la suite des élections de 2172.

En Palestine, le parti arabe laïc avait réussi à faire entrer 5 députés au Parlement aux élections de début 2173. C'était un début prometteur, puisque la Palestine se trouvait à côté de la Jordanie et d'Israël qui avaient tous les deux beaucoup de députés laïcs dans leur deux parlements.

Le parti arabe laïc n'avait pas réussi à entrer au Parlement en Arabie saoudite, au Yémen ou au Qatar. Les autres pays arabes n'avaient pas non plus de députés du parti arabe laïc. Par contre, le député Arat, qui était aussi le président du parti arabe laïc de Syrie, avait rencontré dans son bureau le chef du parti arabe laïc irakien et égyptien.

En Turquie, le parti laïc turc avait été recréé suite au débat télévisé du professeur Arat face au président de la Syrie. Le président du parti laïc turc avait bien aimé la comparaison avec le grand franc-maçon Atatürk et avait rappelé à ses concitoyens ce que fut la révolution kémaliste en 1923. Des journalistes turcs écrivirent de plus en plus d'articles sur la révolution kémaliste, et le sujet passa de plus en plus souvent à la télévision.

En Israël, cela faisait trois ans que David Klein était ministre des Affaires étrangères. Il avait même rencontré le président actuel de la Syrie dans son palais présidentiel. Il lui avait avoué avoir joué la comédie en attaquant le professeur Arat. C'est le jeu cruel de la politique. Il lui avoua même avoir invité des francs-maçons syriens dans son palais présidentiel pour éviter quelques malentendus. De plus, le président syrien lui avoua qu'il se représenterait pour un troisième mandat, mais que la Constitution syrienne interdisait à un président de se représenter pour un quatrième mandat. Les Constitutions jordanienne et libanaise avaient la même interdiction.

A Beyrouth, le président du parti laïc arabe discutait avec son ami le professeur Traboulsi et commença :
– Mon ami, je vais te dire une chose qui va te faire de la peine.
– Tu me fais peur.
– J'ai un cancer du poumon. J'ai trop fumé durant toutes ces années.
– Je suis navré.
– En Angleterre, il y a de très bonnes cliniques pour soigner le cancer du poumon.
– J'imagine.
– J'ai promis la transparence et je vais donc en informer nos militants.
– Je vois.
– Nous allons préparer des élections et je te veux comme président de notre parti. Tu es très populaire.
– C'est vrai.
– Ce sera dans deux semaines. Je te rappelle que l'élection pour la présidence du Liban se passera dans deux ans.
– Je le sais. J'espère qu'ils vont bien te soigner à Londres.
– Je l'espère aussi. Tu sais bien que le cancer du poumon n'est plus mortel maintenant. Mais je dois me faire soigner là-bas...

A Jérusalem, le ministre des Affaires étrangères discutait avec son Premier ministre :
– Comme tu le sais, les présidents syrien, jordanien et libanais ne peuvent pas se représenter pour un quatrième mandat en 2180.
– Oui. Ils devront trouver un successeur au sein de la droite, et ce n'est pas évident.

– Mon ami le professeur Arat est devenu très médiatique. Il pourrait gagner en 2175 ou en 2180.

– Mes services secrets penchent pour 2180 et c'est pareil pour ton ami en Jordanie.

– Tu remarques que leur parti politique a de plus de en plus de membres.

– Oh ! oui. Ce parti politique est la deuxième force en Syrie, en Jordanie et au Liban.

– Par contre, il ne perce pas dans les autres pays arabes.

– C'est comme ça. Pour l'Egypte il faudra attendre vingt ou trente ans.

– Et plus de cent ans pour l'Arabie saoudite à mon avis.

Au Parlement syrien, cela faisait trois ans que les députés du parti arabe laïc se fréquentaient. Comme en France, il arrivait que des projets de loi soient discutés en loge maçonnique avant de l'être au Parlement. La seule différence avec la France était que la grande majorité des députés francs-maçons étaient membres du parti arabe laïc syrien et parfois du parti socialiste arabe syrien.

En Jordanie et au Liban, c'était pareil, il n'y avait aucun député de droite ou d'extrême-droite qui était membre d'une loge maçonnique. C'était même la grande différence avec la France. Ce n'était pas un hasard. Il semblait maintenant évident que le prochain candidat du parti arabe laïc en Syrie, en Jordanie et au Liban à l'élection présidentielle de 2175 serait un arabe franc-maçon ou ancien franc-maçon comme en Jordanie. Les présidents de ces trois pays avaient donné des ordres à leurs députés de droite.

Mis à part ce léger contentieux, des députés du parti arabe laïc de Syrie, de Jordanie et du Liban arrivaient à travailler ensemble et à faire voter des lois. Sur certains sujets, le parti arabe laïc se sentit plus proche du parti socialiste arabe, mais la droite avait la majorité au Parlement et pouvait parfois s'allier avec les quelques députés d'extrême-droite. Malgré cela, les députés du parti arabe laïc avaient réussi à amener une plus large idée de la laïcité dans les Parlements syrien, jordanien et libanais. Par contre, l'idée d'inscrire la laïcité dans les Constitutions syrienne, libanaise et jordanienne semblait pour le moment impossible. Comme une loi de séparation entre la Mosquée et l'Etat inspirée de la loi française de 1905 sur la séparation de l'Eglise et de l'Etat. Loi qui fut promulguée en France grâce à beaucoup de députés francs-maçons. Il ne faut pas oublier que les députés de droite étaient des conservateurs et ne voulaient pas trop changer de choses dans la société.

En Israël c'était différent. Il y avait tellement de députés laïcs en dehors du parti laïc israélien que plusieurs réformes laïques aboutirent. La plus grande d'entre elles fut d'inscrire la liberté de croyance au sein de la Constitution israélienne. Cela faisait maintenant très longtemps que l'Etat d'Israël avait une Constitution. La seconde grande réforme fut d'instaurer le mariage et le divorce civils. Le monopole des religieux sur le droit de la famille fut aboli. Les extrémistes religieux manifestèrent, mais le parti laïc israélien réussit à faire inscrire le délit de « calomnie politique » dans le Code pénal. Ce délit n'était pas passible de prison, mais les amendes pouvaient être exorbitantes. Surtout pour des pères de familles ultra orthodoxes qui gagnaient très peu et qui avait énormément d'enfants...

CHAPITRE 7

Damas, janvier 2175. Les journalistes se préparaient pour l'année électorale. Le président du parti arabe laïc syrien était devenu une personnalité. Les chaînes de télévision se battaient pour l'avoir dans une émission, car à chaque fois la majorité des Syriens regardaient l'émission. Pour les journalistes, il semblait évident que le deuxième tour de l'élection présidentielle se jouerait entre le président actuel de la Syrie et le président du parti arabe laïc syrien. Il semblait déjà acquis que le député Abdel Arat serait président de la Syrie en 2185 ou en 2180. Les experts politiques penchaient plus pour 2180.

Au Liban, le président du parti arabe laïc libanais Traboulsi avait bien réussi à s'imposer dans le paysage politique libanais. Il avait été élu en 2173, mais avait fait beaucoup de chemin. Il passait souvent à la télévision et n'hésitait jamais à rappeler qu'il avait étudié à Paris avec le futur président de Syrie de 2180. Au Parlement, il avait réussi à bien s'imposer et avait pas mal de charisme et une très bonne élocution. Il continuait à fréquenter sa loge maçonnique, mais estimait que s'il était élu à la présidence du Liban il ne pourrait plus y aller.

En Jordanie, Abdelaziz Faykal gérait bien son parti arabe laïc. Il avait aussi bien réussi à s'imposer dans le Parlement jordanien et s'était fait pas mal d'alliés à gauche comme à droite. De plus, il était parvenu à convertir certains députés socialistes qui allaient maintenant se présenter aux élections sous la bannière du parti arabe laïc de Jordanie.

En Egypte, les rares députés du parti arabe laïc égyptien avaient réussi à s'attirer la sympathie de journalistes, et cela avait fait de la publicité à ce parti politique. Ainsi, pour les prochaines élections de 2178, ils pouvaient espérer entre 30 et 50 députés. Ce n'était pas encore certain, mais c'était mieux qu'en Irak où le parti arabe laïc stagnait et ne pouvait pas espérer grand-chose pour les prochaines élections.

A Damas, le président du parti arabe laïc était l'invité d'une très importante émission politique, et le présentateur commença :

— Bonsoir monsieur le président du parti arabe laïc.

— Bonsoir. Merci de votre invitation.

— Comme vous le savez, des millions de Syriens nous regardent et aussi des Libanais et des Jordaniens.

— Je le sais. C'est pourquoi je tiens à lancer le sujet de la laïcité dans notre Constitution.

— Voulez-vous être plus précis ?

— Comme vous le savez, j'ai étudié le droit dans une université en France et j'ai aussi fréquenté une loge maçonnique.

— Oui et ?...

— La Turquie a été le premier pays à tenter l'expérience d'un pays musulman laïc au début du XXᵉ siècle. Mustafa Kemal Atatürk instaura la laïcité avec une séparation des pouvoirs politiques et spirituels.

— Vous voudriez tenter l'expérience en Syrie.

— Exactement, mais ce seront aux électeurs syriens de décider. De plus, mon ami le président du parti arabe laïc du Liban voudrait aussi tenter la même chose.

— Il est vrai qu'il y a de nombreuses communautés religieuses au Liban. De nombreuses tendances chrétiennes.

— La laïcité est la neutralité face aux religions et surtout pas de lois d'inspiration religieuse au Parlement.

— La présidence de Mustafa Kemal Atatürk fut autoritaire avec un parti unique.

— Très juste, de toute façon j'aurais du mal à croire que le Parlement syrien n'aura que des membres de mon parti. Nous voudrions collaborer avec la gauche et la droite. Le vrai pouvoir sera au Parlement.

– Vous vous y engagez ?

– Bien sûr, c'est ce que qu'on appelle « la séparation des pouvoirs ». Comme vous le savez, j'ai étudié à Paris et j'ai bien étudié la politique française à l'époque.

– Vous voudriez donc faire de la Syrie une République française ?

– Ce sont les Syriens qui le décideront en avril et en mai.

La discussion dura encore une trentaine de minutes.

Le lendemain à Beyrouth, le président du parti arabe laïc libanais dû répondre à une journaliste à propos de l'interview du candidat du parti arabe laïc syrien. Il répondit qu'il était en lien avec lui et qu'il voulait aussi faire du Liban une sorte de République française, mais ce serait les électeurs libanais de décider aux élections. Selon la journaliste, le choc serait trop brutal et il valait mieux attendre les élections de 2180 pour que les peuples libanais et syrien s'y habituent.

A Amman le président du parti arabe laïc de Jordanie avait lui aussi été contacté par un journaliste pour une interview. Sa proximité avec le très médiatique président du parti arabe laïc de Syrie était connue des journalistes jordaniens. Plusieurs journaux jordaniens avait écrit que ces deux hommes avaient étudié ensemble à l'Université de Paris Panthéon-Assas et avaient fréquenté la même loge maçonnique. Un journal jordanien avait aussi voulu préciser qu'il avait aussi étudié avec l'actuel ministre des Affaires étrangères d'Israël en rappelant que le traité de paix entre Israël et la Jordanie avait été signé il y a cent quatre-vingt-un ans.

A Jérusalem, le ministre des Affaires étrangères avait accepté une interview sur la principale chaîne de télévision du pays. Il avait répondu positivement sur le fait qu'il avait bel et bien connu le très médiatique président du parti arabe laïc de Syrie et estimait que l'actuel président du parti arabe laïc de Jordanie deviendrait de plus en plus connu. Le ministre des Affaires étrangères avait lu plusieurs rapports des services secrets israéliens et il expliqua à la télévision que le parti arabe laïc en Syrie, en Jordanie et au Liban avait plus de chance de gagner les élections législatives et présidentielles en 2180. Par contre, son parti politique en Israël se trouvait depuis très longtemps au Parlement et il était possible qu'il gagne les prochaines élections. Il expliqua au journaliste qu'il préférait continuer à travailler comme ministre des Affaires étrangères et qu'il avait de grandes chances de continuer suite aux élections israéliennes. Par contre, il refusa de répondre quant à une possible candidature au poste de Premier ministre en 2180 avec une reprise de la présidence du parti laïc israélien.

Beyrouth, février 2175. Le président du parti arabe laïc libanais recevait chez lui son grand ami le président du parti arabe laïc syrien. Avant cela, il avait rencontré un journaliste chez lui et lui avait parlé de sa proximité avec le parti arabe laïc de Syrie et surtout de son président. Il commença à parler :

– Comment tu vas, mon ami ?

– Je pourrais aller mieux. Le début de la campagne électorale a commencé.

– Chez moi aussi. Tu as vu les affiches électorales de mon parti à l'aéroport ?

– J'ai vu. Tu deviens une personnalité à Beyrouth.

– Tu crois que l'on peut gagner ?

– Beaucoup de journalistes syriens et libanais écrivent que l'on gagnera en 2180. Il faut habituer les Syriens et les Libanais au concept de laïcité et d'occidentalisation de leur pays.

– Il est vrai que nos deux peuples sont assez conservateurs. C'est pour cela que les communistes font toujours des scores très bas aux élections.

– Les socialistes n'arrivent pas trop non plus à percer même s'ils ont souvent des bons résultats aux élections.

– Il paraît que les présidents actuels de Syrie et du Liban ont peur de nous et ne vont pas hésiter à nous démolir.

– Je sais. Des analystes politiques prédisent que le parti arabe laïc sera le second parti aux Parlements syrien et libanais avec énormément de députés.

– Au Parlement du Liban, nous ne sommes pas très nombreux.

– En Syrie, nous sommes le deuxième parti, mais malheureusement la droite a beaucoup, mais beaucoup plus de députés au Parlement. On ne peut pas faire grand-chose et surtout pas imposer des projets de loi.

– Je sais. On verra après avril. Si nous devenons une très grande force au Parlement, on pourra recruter des députés de droite.

– Bien possible. Tu as vu que des anciens députés de droite nous ont rejoints pour cette élection.

– J'ai vu et c'est pareil en Jordanie.

– On aura la surprise en avril et en mai.

– Tu sais, je me dis que si nous perdons les élections cette année, nous devrions gentiment quitter la franc-maçonnerie.

– Pourquoi tu dis cela ?

– Regarde en France, aucun président de la République française n'était franc-maçon.

– Mais ils avaient des ministres francs-maçons. Très juste.

– Nous pourrions quitter nos loges maçonniques en 2178 et 2179, et ainsi nos adversaires politiques nous attaqueraient moins sur le sujet.

– Juste, nous serions des anciens étudiants en droit de l'Université de Paris Panthéon-Assas et des anciens francs-maçons.

– Nous sommes toujours de culture musulmane avec des apports de la culture occidentale.

– Tu as raison, je vais y songer.

Ils discutèrent ensemble pendant encore une heure.

CHAPITRE 8

Avril 2175, les journalistes syriens, jordaniens et libanais n'arrêtaient pas de commenter ce fait historique. La droite avait gagné les élections législatives dans ces trois pays, mais le parti arabe laïc avait réussi à s'imposer avec de très bons résultats en Syrie, en Jordanie et au Liban.

De plus, celui du maintenant très médiatique président du parti arabe laïc de Syrie était, selon divers sondages, soutenu par 49 % des électeurs pour le second tour des élections présidentielles. Le résultat des élections pour le second tour des élections législatives donnait 70 sièges au Parlement pour la droite et 50 sièges pour le parti arabe laïc de Syrie. Ce résultat était historique, et tous les commentateurs politiques prédisaient un très grand avenir.

Au Liban, le parti du président en place avait obtenu 60 députés, et le parti arabe laïc du Liban 40 députés. Comme en Syrie, celui-ci faisait une percée historique et pourrait s'allier avec la gauche pour certain projets de loi. Le nouveau président du parti arabe laïc du Liban devenait maintenant très médiatique, et les experts politiques lui prédisaient un score entre 44 % et 49 % au second tour des élections présidentielles du Liban.

En Jordanie, le parti de la droite au pouvoir avait obtenu 60 députés, et le parti arabe laïc de Jordanie, 45 députés. Le président de ce dernier devenait aussi très connu, et les journalistes lui prédisaient un score entre 46 et 49 % au second tour des élections présidentielles. La plupart des journalistes estimait que le président du parti arabe laïc de Jordanie serait le nouveau président du pays en 2180.

En Israël, la droite du Likoud avait gagné les élections, mais le résultat était très proche de celui du parti laïc israélien qui avait failli arriver en tête. Le Likoud obtenait 50 députés, et le parti laïc israélien, 40. Les autres partis politiques obtenaient des scores ridicules, même si le parti socialiste israélien s'en sortait avec 12 députés. Par contre, ce qui réjouissait les journalistes, c'est que l'extrême- gauche et l'extrême-droite obtenaient très peu de députés.

En Egypte, des élections devaient se tenir fin 2176 suite à divers scandales des islamistes au Parlement égyptien, et les journalistes en avaient profité pour évoquer la bonne moralité du petit parti arabe laïc égyptien qui était dirigé par un docteur en droit diplômé de l'Université d'Oxford en Angleterre. Selon des experts politiques, ce parti pouvait espérer plusieurs députés aux élections de 2176, surtout depuis que des journalistes parlaient en des termes très flatteurs des partis arabes laïcs syrien, jordanien et libanais. A la suite des élections législatives d'avril en Syrie, en Jordanie et au Liban, les journalistes des chaînes de télévisions égyptiennes évoquaient ces évènements de façon très flatteuse pour le parti arabe laïc de ces trois pays.

Dans la plupart des pays où le parti arabe laïc était implanté, les élections en Syrie, en Jordanie et au Liban donnèrent de l'espoir. En Tunisie, en Algérie et au Maroc, beaucoup de cadres et militants de ce parti avait un peu étudié en France et étaient revenus dans leur pays avec cette culture française. Selon des experts politiques, le parti arabe laïc avait de grandes chances d'avoir entre 30 et 60 députés aux pro-chaines élections législatives. Sachant que le Maroc, l'Algérie et la Tunisie avait déjà quelques députés du parti arabe laïc dans leur Parlement respectif.

En Irak, le parti arabe laïc attendait les élections de 2178, mais des experts politiques estimaient que cela dépendrait du succès des députés au Parlement syrien durant cette législature. Les députés syriens du Parlement avaient donc cinq ans pour faire leurs preuves, et dans trois ans le parti arabe laïc d'Irak pourrait vanter à la télévision leur réussite afin de pouvoir théoriquement faire pareil en Irak.

En Arabie Saoudite, au Yémen, en Lybie, au Qatar, à Oman ou aux Emirats arabes unis, le parti arabe laïc n'avait pas encore réussi à entrer au Parlement.

A Damas, le président du parti laïc syrien avait été invité à une importante émission politique du pays. Le présentateur commença :

– Monsieur Arat, vous devez être fier des résultats.

– C'est juste.

– J'ai même cru comprendre que le recteur de l'Université de Paris Panthéon-Assas n'arrêtait pas de chanter vos louanges sur les chaînes de télévision françaises.

– Il est vrai que j'ai suivi des cours à l'université avec ce grand professeur de droit international.

– De plus, la majorité de la classe politique en France vous voit président en 2180.

– Pas cette année ?

– Non, malheureusement. La majorité des experts politiques de Syrie estime que vous allez encore perdre contre notre président actuel de Syrie.

– Donc je serais au deuxième tour des élections présidentielles.

– Quatre-vingt-dix pour cent des Syriens le pensent selon plusieurs sondages effectués ces derniers jours.

– Comme vous le savez, selon notre Constitution notre président de la Syrie ne pourra pas se représenter pour un quatrième mandat en 2180.

– Comme au Liban et en Jordanie. Il est vrai qu'au niveau médiatique vous aurez un grand avantage sur le prochain candidat de la droite en 2180.

– Ce sera peut-être un des futurs ministres du président de Syrie.

– Très juste. De toute façon, la droite a gagné les élections législatives, et les Syriens n'aiment pas la « cohabitation ».

– Vous avez fait des sondages ?

– Exactement. Les divers sondages effectués prouvent que les Syriens veulent un président du même parti politique que le parti majoritaire au Parlement.

– Mon parti est déjà bien présent au Parlement syrien, et comme vous le savez nous sommes un parti du centre.

– Très juste, vos députés pourront tendre la main à la gauche ou à la droite selon les projets de loi.

– Exactement. Et le peuple syrien verra ce que vaut mon parti politique au Parlement.

– Autre sujet : 35 % des Syriens trouvent inquiétante votre proximité avec l'actuel ministre des Affaires étrangères d'Israël.

– Cela veut dire que 65 % des Syriens ne la trouvent pas inquiétante.

– Très juste. De toute façon la paix entre la Syrie et Israël a été signée il y a très longtemps.

– Et aucun Syrien n'a fait la guerre à Israël.

– Non et aucun Syrien n'a été impliqué dans un attentat en Israël.

– Il y a eu très peu d'attentats en Israël ces trente dernières années.

– Quelques extrémistes palestiniens qui refusaient le traité de paix entre la Palestine indépendante et Israël.

– Malheureusement.

– Penseriez-vous que le ministre des Affaires étrangères d'Israël pourrait venir ici faire une interview ?

– Vous pourriez lui demander.

– Je vous le demande à vous pour que vous puissiez le lui demander au téléphone.

– Je le ferai ; vous avez ma parole. Et je pense qu'il acceptera.

– Des experts politiques syriens estiment qu'il pourrait devenir Premier ministre en 2180. Il a été renommé ministre des Affaires étrangères pour cinq ans.

– Un peu moins de cinq ans à mon avis.

– Pourquoi ?

– Pour se présenter aux élections en Israël, il devra reprendre la direction du parti laïc israélien, démissionner du gouvernement et se présenter en tant que chef de ce parti aux élections.

– Très juste.

Ils discutèrent encore pendant une trentaine de minutes.

CHAPITRE 9

Mai 2175. Les présidents actuels de la Syrie, de la Jordanie et du Liban ont passé sans problèmes le premier tour des élections présidentielles, comme la majorité des journalistes s'y attendaient. Les présidents du parti arabe laïc de Syrie, de Jordanie et du Liban passèrent aussi le premier tour. Le président du parti arabe laïc du Liban avait eu peur, mais il avait réussi.

Comme le parti arabe laïc était le deuxième parti aux Parlements syrien, libanais et jordanien, les experts politiques trouvaient cela logique. Les journalistes étaient en train de se demander si un président franc-maçon pouvait diriger un pays arabe. Des experts politiques disaient que cela était parfois arrivé en Afrique, mais ce n'étaient pas vraiment des pays démocratiques.

L'extrême-droite en profita pour évoquer le complot judéo-maçonnique en rappelant que l'on ne pouvait pas savoir ce qu'il se disait dans ces réunions secrètes maçonniques avec leurs termes hébreux et l'architecte du temple du roi Salomon. Plusieurs députés de droite et d'extrême droite en parlèrent aux télévisons syrienne et libanaise en rappelant que le candidat du parti arabe laïc jordanien avait quitté cette société secrète.

Suite à ces violentes polémiques, le président du parti arabe laïc libanais annonça publiquement durant une émission de télévision qu'il allait quitter la franc-maçonnerie. Il le jura sur son honneur. Le président du parti arabe laïc syrien fit de même deux jours plus tard devant des millions de téléspectateurs. Il en profita pour dire qu'il avait été un étudiant en droit dans une prestigieuse université à Paris et maintenant un ancien franc-maçon. Cela avait contribué à sa formation intellectuelle.

En France, certains députés francs-maçons étaient un peu attristés par ces évènements, mais expliquèrent à la télévision que cela faisait des siècles que la France avait des députés francs-maçons et cela avait commencé en 1789. La Syrie et le Liban n'avaient pas la même histoire que la France. De plus, ils avouèrent que les francs-maçons évoquaient souvent l'architecte du roi Salomon du royaume d'Israël à l'intérieur de leur temple maçonnique.

En fait, le président du parti laïc syrien avait été conseillé par des francs-maçons de Damas qui lui avait rappelé que, lors du débat de 2170 avec l'actuel président de Syrie, il fut attaqué sur le sujet. Le terme « espion » de l'étranger avait même été évoqué en rappelant que la franc-maçonnerie avait été inventée en Europe. Et non en Orient.

Le président libanais savait aussi qu'il se ferait moins attaquer sur ses liens avec la franc-maçonnerie maintenant, mais qu'il pourrait se faire attaquer pour sa proximité avec le ministre des Affaires étrangères d'Israël. Les présidents du parti arabe laïc de Jordanie et de celui de Syrie se préparaient aussi pour le fameux débat du second tour de l'élection présidentielle.

A Beyrouth, le candidat du parti laïc arabe libanais avait été invité à une importante émission politique. Le présentateur commença :

– Monsieur Traboulsi, vous avez donc quitté la franc-maçonnerie.

– Oui. Il me semble que cela posait problème.

– Pas pour 45 % des Libanais selon divers sondages.

– Nous avons tellement de religions au Liban.

– La franc-maçonnerie n'est pas une religion.

– Très juste, mais l'extrême-droite véhicule tellement de mensonges.

– Oh ! oui. Tout comme votre grande amitié avec l'actuel ministre des Affaires étrangères d'Israël.

– Il ne faut pas exagérer. Je l'ai très bien connu lors de mes études universitaires à Paris durant ma jeunesse.

– Vous avez quitté la France il y a longtemps maintenant.

– Oui. Cela fait des années et des années que j'habite à Beyrouth.

– Et vous donnez toujours vos cours à l'université ?

– J'y donne peu de cours mais le doyen de la faculté de droit a insisté pour que je ne quitte pas mon poste de professeur à l'université.

– Député, chef du parti arabe laïc libanais et professeur à l'université, c'est gérable ?

– Bien sûr, le chef du parti arabe laïc syrien le fait aussi.

– Comme vous, il ne donne que quelques heures de cours par semaine. Il est évident que le travail de député vous prend beaucoup de temps à tous les deux.

– Par contre, on m'a prévenu que le chef du parti arabe laïc de Jordanie avait quitté son poste de professeur d'université.

– Très juste. Moi je verrais car il est vrai que notre parti politique a maintenant pas mal de députés au Parlement.

– Vous envisagez de faire des réformes au Parlement ?

– On verra. Comme vous le savez, il est possible de faire des propositions de loi avec un certain nombre de députés. Notre parti politique est un parti du centre.

– Très juste, vous pourriez attirer des députés de droite ou de gauche sur certains sujets.

– Et oui, mais on verra, car la discipline de vote est importante dans le parti du président actuel du Liban.

– Vous envisagez de lancer des projets de loi en lien avec la laïcité ?

– Bien sûr, nous allons habituer les Libanais au concept durant cinq ans, et je pense que ce sera pareil en Syrie et en Jordanie.

– Il est vrai que, même si vous perdez l'élection présidentielle, vous resterez le chef du deuxième parti politique au Parlement.

– Nous envisageons bel et bien de lancer des sujets au Parlement en lien avec la laïcité, car nous avons beaucoup plus de députés que durant la dernière législature.

– Et vous comptez sur les journalistes pour en parler ?

– Oui et lancer des débats sur le sujet. Nous voulons faire cela pour le bien des Libanais.

– Vous avez des exemples ?

– Les exemples sont très simples. J'ai étudié en France et j'ai observé la société française. Je voudrais donc apporter un peu de cela au Liban.

– Et le président du parti arabe laïc syrien pense comme vous ?

– Sur ce sujet oui.

– La France a une autre histoire que la nôtre.

– Oui, mais le Liban et la Syrie ont appartenu à la France après la Première Guerre mondiale.

– Très juste, de 1920 à 1946 le Liban et la Syrie ont été administrés par la France.

– Contrairement à une idée reçue, ces deux pays ne furent pas des colonies françaises. L'objectif de la France était de donner l'indépendance à ces deux protectorats.

– Il est vrai qu'au Liban en 1920 les militaires français furent accueillis en libérateurs par la communauté maronite par exemple.

– Très juste. Le général français Gouraud proclama la création du Grand Liban. Ce n'est pas rien.

– Je vois. Vous voulez nous faire comprendre que la France a déjà une histoire avec le Liban et la Syrie.

– Je préfère la France à la Turquie et donc l'histoire de la France à l'histoire de l'Empire ottoman.

– L'histoire de l'Empire ottoman est aussi notre historie.

– Oh ! oui, mais je vous rappelle que l'Empire ottoman a tenu la Syrie et le Liban de manière autoritaire.

– Très juste.

– Durant le massacre des maronites par les Druzes de 1840 à 1860, la France et d'autres grandes puissances de l'époque obligèrent l'Empire ottoman à créer une province autonome du Mont-Liban dirigé par un sujet ottoman chrétien.

– Je sens que nos téléspectateurs vont rouvrir leurs livres d'histoire du Liban après cette émission.

Ils discutèrent encore pendant une trentaine de minutes.

Fin mai 2175, les présidents de Syrie, de Jordanie et du Liban réussirent à se faire élire à nouveau. Le résultat en Syrie avait été de 51 %, et de 52 % pour les présidents du Liban et de Jordanie.

Le président du parti arabe laïc syrien accepta sa défaite et envisagea de faire changer le mode de pensée des Syriens sur la laïcité durant son mandat de député et de président de son parti. Il en avait discuté avec le recteur de l'Université de Damas et il avait décidé de démissionner de son poste de professeur d'université afin de se consacrer à 100 % à son travail au Parlement syrien.

A Beyrouth, le président du parti arabe laïc du Liban décida aussi de quitter son poste de professeur afin de devenir un homme politique à plein temps. A Amman, le président du parti arabe laïc avait décidé de faire pareil. Le métier d'homme politique amenait des sacrifices. Ils décidèrent tous les trois qu'ils devraient à l'avenir devenir plus agressifs au Parlement et se faire connaître dans tout leur pays et pas seulement dans la capitale. Ils se promirent qu'ils mettraient tout en œuvre pour gagner les élections législatives et présidentielles en 2180...

CHAPITRE 10

Damas, mai 2178. Cela faisait maintenant trois ans que le parti arabe laïc avait perdu les élections législatives et présidentielles. Le président du parti arabe laïc syrien avait compris ses erreurs et avait décidé de se faire connaître dans toute la Syrie. Il s'était déplacé dans toutes les villes importantes du pays et avait laissé des militants de son parti faire campagne dans toutes les petites villes du pays. Après en avoir discuté, les présidents du parti arabe laïc du Liban et de Jordanie décidèrent de faire pareil.

De toute façon, plusieurs sondages montraient une certaine lassitude des Syriens, des Libanais et des Jordaniens pour la droite qui était au pouvoir depuis des dizaines d'années. En fait, la majorité des jeunes n'avaient connu que des régimes de droite et pensaient que c'était une fatalité. Cela faisait treize ans que les présidents syriens, libanais et jordaniens étaient au pouvoir, et divers sondages montraient un véritable ras-le-bol.

En Israël, le ministre des Affaires étrangères avait démissionné en janvier et avait réussi à se faire élire président du parti laïc israélien. De plus, il commençait à afficher ses ambitions en parlant du poste de Premier ministre en 2180. Les sondages le mettaient en bonne position. De surcroît, il avait l'expérience comme ministre des Affaires étrangères et se vantait d'avoir rencontré les plus grands dirigeants politiques de ce monde.

En Egypte, les élections de début 2176 firent entrer 35 députés du parti arabe laïc égyptien au Parlement. Cela fit effet de boule de neige, puisque plus d'une trentaine de députés des partis arabes laïcs libyen, tunisien, algérien et marocain entrèrent aussi dans leur parlement respectif entre 2176 et 2178.

En Irak, suite à divers problèmes au Parlement, les élections eurent lieu en 2177, et 40 députés du parti arabe laïc irakien y entrèrent. En Arabie saoudite, au Yémen et à Oman, aucun député du parti arabe laïc n'entra au Parlement, mais une vingtaine de députés de ce parti arriva à se faire une place au Parlement de Palestine, des Emirats arabes unis et du Qatar.

A Jérusalem, le nouveau président du parti laïc israélien avait accepté qu'un journaliste de la plus importante chaîne de télévision syrienne vienne l'interviewer. Le très médiatique présentateur de Damas commença :

– Monsieur Klein, les sondages vous mettent vous et votre parti en bonne place pour gagner les élections de 2180.

– J'ai lu ces sondages.

– Comme vous le savez, dans mon pays le parti arabe laïc syrien a de grandes chances de remporter les élections législatives et présidentielles en 2180.

– Et qui sera le candidat de la droite ?

– Le ministre de l'Intérieur a démissionné pour prendre le poste du président du parti de la droite syrienne.

– Ah ! oui. Je vois qui c'est. Il a du charisme et il était proche du président de la Syrie.

– Très proche oui. Comme vous avec le président du parti arabe laïc syrien.

– Il est vrai que nous restons en contact.

– Aussi avec les présidents des partis arabes laïcs libanais et jordanien.

– Vous êtres très bien informé.

– C'est mon métier. Il est vrai que jamais dans l'histoire du Proche-Orient quatre dirigeants n'ont étudié ensemble dans une université parisienne et n'ont fréquenté la même loge maçonnique.

– Nous ne sommes plus francs-maçons tous les quatre comme nous ne sommes plus des étudiants en droit à l'Université de Paris Panthéon-Assas.

– Beau discours qui fait croire qu'une loge maçonnique est une seconde université.

– Et pourquoi pas ? C'est aussi une forme de formation universitaire. Question de point de vue.

– Très juste. Je suppose que votre parti politique est en lien avec les partis arabes laïcs syrien, libanais et jordanien.

– Bien sûr. Nous voudrions même faire quelques réformes en commun entre 2180 et 2185. Enfin si nous sommes élus.

– Vous êtes sûrement au courant que le ministre de la Défense du Liban a démissionné il y a un mois afin de diriger le parti de la droite arabe libanaise.

– Oui, et l'ancien ministre de l'Intérieur jordanien a pris la présidence du parti de la droite arabe jordanienne il y a cinq mois.

– Monsieur Klein, je vous remercie pour cette interview.

Ils discutèrent encore pendant une vingtaine de minutes.

A Beyrouth, le président du parti arabe laïc était en réunion avec ses députés. Cela faisait trois ans qu'il essayait de faire passer des projets de loi mais la droite l'empêchait à chaque fois. De plus, les députés du parti socialiste arabe n'étaient pas très nombreux et il y avait quelques tensions entre les deux partis politiques. En fait, le président du Liban avait donné des consignes claires à ses députés : aucune alliance avec le centre laïc. C'était comme si le président du Liban essayait de diaboliser le parti arabe laïc libanais afin de placer son successeur sur le trône en 2180. Les journalistes libanais se posaient vraiment la question et évoquaient la monarchie libanaise avec le vieux roi de Beyrouth.

En Syrie, le président avait aussi donné comme consigne de ne pas fraterniser avec les députés du parti arabe laïc syrien et avait décidé que son successeur serait son ancien ministre préféré. Les journalistes se demandaient si le président syrien ne se prenait pas pour un roi après treize ans de pouvoir. Les présentateurs des chaînes de télévision estimaient que le président était loin des réalités démocratiques et qu'il croyait vraiment que c'était à lui de choisir son successeur sur le trône du royaume monarchique de Syrie.

En Jordanie, le président devenait de plus en plus autoritaire et voulait aussi placer son dauphin sur le trône en 2180 comme si c'était à lui de décider. Les journalistes estimaient que cela allait porter préjudice au parti de la droite arabe jordanienne.

Les élections législatives devaient se passer dans deux ans, et depuis quelques mois, les sondages étaient de plus en plus favorables au parti arabe laïc de Syrie, du Liban et de Jordanie. De plus, la plupart des chefs d'Etat occidentaux avaient choisi leur camp et défendaient ouvertement le parti arabe laïc pour les élections de 2180. Les services secrets occidentaux voulaient aussi la victoire de ce parti, comme la franc-maçonnerie et les communautés juives en Occident.

Les journalistes occidentaux avaient eux aussi choisi leur camp et diabolisaient les présidents syrien, libanais et jordanien. Comme ils étaient un peu en fin de règne, les journalistes du Liban, de Syrie et de Jordanie prirent de plus en plus de liberté dans les critiques sans enfreindre la loi. Ils étaient conseillés par de grands juristes et ils savaient donc critiquer sans aller jusqu'à la diffamation ou la calomnie. De toute façon, c'étaient parfois des avocats membres du parti arabe laïc de Jordanie, du Liban ou de Syrie qui leur rédigeaient des textes.

De plus en plus de journalistes avaient discrètement rejoint le parti arabe laïc et discutaient avec des avocats, des juristes ou des politologues membres de ce parti qui attendaient vraiment un changement pour 2180. Plus le temps passait et plus les journalistes ou les présentateurs des chaînes de télévision critiquèrent le parti au pouvoir.

De plus, des étudiants des universités de Beyrouth, de Damas et d'Amman prenaient aussi de plus en plus de liberté avec le pouvoir en place et n'hésitaient pas à crier haut et fort leur soutien au parti arabe laïc. Il est vrai qu'en 2175, malgré les apparences, beaucoup d'étudiants ne s'étaient pas déplacés pour aller voter, car cela ne les intéressait pas trop. Malgré de grands discours, beaucoup d'étudiants avaient préféré regarder des films chez eux en croyant trop à la mainmise de la droite sur la politique. On leur avait fait croire que la droite restait au pouvoir, car c'était ainsi depuis très longtemps, et il est vrai que le week-end des élections législatives de 2175 il y avait eu une grande soirée d'avant les élections dans les boîtes de nuit d'Amman, de Beyrouth et de Damas, et certains étudiants avaient abusé l'alcool. Ainsi, ils ne voulaient pas trop sortir le lendemain et étaient restés chez eux suite à une grosse gueule de bois. Pour 2180, certains étudiants avaient donc prévu de ne pas refaire ce genre de bêtises...

CHAPITRE 11

Avril 2180, les journalistes du monde entier n'arrêtaient pas de parler des évènements du Proche-Orient. Ils en parlaient depuis des heures et des heures et n'allaient pas s'arrêter de sitôt. Le parti arabe laïc venait de remporter le second tour des élections législatives en Syrie, en Jordanie et au Liban avec une nette avance sur le parti de la droite arabe. De plus, le parti laïc israélien avait aussi gagné les élections en devenant le premier parti de la Knesset.

Les présidents de la Syrie, du Liban et de la Jordanie reconnurent la défaite de leur formation politique et félicitèrent les présidents du parti arabe laïc de Syrie, de Jordanie et du Liban. Les journalistes de ces pays évoquèrent un moment historique et félicitèrent les députés qui allaient avoir cinq ans pour faire leurs preuves et enfin passer des projets de loi.

En Israël, le parti laïc gagna les élections, et le président du parti laïc israélien fut donc nommé Premier ministre et en profita pour dire à la télévision qu'il félicitait le parti arabe laïc de Syrie, de Jordanie et du Liban. Il en profita pour dire que les députés du nouveau Parlement israélien seraient très heureux de collaborer avec les nouveaux députés des Parlements libanais, syrien et jordanien.

A Washington, Londres, Paris et dans d'autres villes occidentales les journaux et les chaînes de télévision n'arrêtaient pas de parler des évènements du Proche-Orient. Ces élections semblaient être un symbole de l'ouverture de ces pays à de véritables démocraties à l'européenne. Des journalistes n'hésitèrent pas à citer des articles de la Déclaration des droits de l'homme et du citoyen de 1789.

A Damas, le président du parti arabe laïc syrien décida de commencer son discours devant ses militants au siège du parti :

– Mesdames, messieurs, en ce jour symbolique et historique pour la Syrie, je vais commencer par vous citer les six articles du début de la Déclaration des droits de l'homme et du citoyen de 1789. Je vous demande de vous lever :

Art. 1er.

Les hommes naissent et demeurent libres et égaux en droits. Les distinctions sociales ne peuvent être fondées que sur l'utilité commune.

Art. 2.

Le but de toute association politique est la conservation des droits naturels et imprescriptibles de l'homme. Ces droits sont la liberté, la propriété, la sûreté et la résistance à l'oppression.

Art. 3.

Le principe de toute souveraineté réside essentiellement dans la nation. Nul corps, nul individu ne peut exercer d'autorité qui n'en émane expressément.

Art. 4.

La liberté consiste à pouvoir faire tout ce qui ne nuit pas à autrui : ainsi, l'exercice des droits naturels de chaque homme n'a de bornes que celles qui assurent aux autres membres de la société la jouissance de ces mêmes droits. Ces bornes ne peuvent être déterminées que par la loi.

Art. 5.

La loi n'a le droit de défendre que les actions nuisibles à la société. Tout ce qui n'est pas défendu par la loi ne peut être empêché, et nul ne peut être contraint à faire ce qu'elle n'ordonne pas.

Art. 6.

La loi est l'expression de la volonté générale. Tous les citoyens ont le droit de concourir personnellement, ou par leurs représentants, à sa formation. Elle doit être la même pour tous, soit qu'elle protège, soit qu'elle punisse. Tous les citoyens étant égaux à ses yeux sont également admissibles à toutes dignité, places et emplois publics, selon leur capacité, et sans autre distinction que celle de leurs vertus et de leurs talents.

– Mesdames, messieurs, je suis ce soir très honoré d'être le président du parti majoritaire et je vous promets que je ne vous décevrai pas...

Il continua son beau discours pendant une trentaine de minutes.

A Beyrouth, le président du parti arabe laïc fit lui aussi un beau discours devant ses militants au siège du parti et n'oublia pas de remercier ses amis, sa femme et ses enfants. Il rappela que c'était un vote démocratique et que donc il remerciait les Libanais qui avaient voté majoritairement pour son parti.

A Amman, le président du parti laïc remercia ses militants et sa famille et commença son discours :

– Mes chers amis, c'est un jour historique pour la Jordanie et le Proche-Orient. Le parti arabe laïc a gagné en Jordanie, au Liban et en Syrie, et le parti laïc israélien a gagné en Israël. Ces cinq prochaines années seront historiques. Notre beau pays va collaborer avec Israël, la Syrie et le Liban pour améliorer le mode de vie et le bien-être des citoyens de cette région. Nous allons entrer dans une période de respect des droits de l'homme et de la femme. Comme vous le savez, moi et les trois autres dirigeants du parti majoritaire au Proche-Orient, nous avons étudié à Paris et nous allons apporter un peu de France dans notre région. Je vous promets plus de prospérité et une meilleure amélioration du niveau de vie des Jordaniens...

Il continua son beau discours pendant une vingtaine de minutes.

En mai 2180, les présidents du parti arabe laïc de Jordanie, de Syrie et du Liban passèrent sans problème le premier tour des élections présidentielles et n'eurent pas trop de difficultés pour s'imposer dans le paysage politique. Durant le débat du second tour de l'élection présidentielle, ils eurent une grande facilité à se présenter comme une alternance crédible après des décennies de présence de la droite. Les candidats du parti des présidents au pouvoir ne surent pas s'imposer, et les journalistes du Proche-Orient estimèrent qu'ils étaient mal préparés à ce genre de débat à la télévision.

Ainsi, en mai 2180, les présidents du parti arabe laïc de Syrie, de Jordanie et du Liban gagnèrent le second tour des élections présidentielles...

CHAPITRE 12

Une des premières décisions des Parlements de Syrie, du Liban et de Jordanie fut de vouloir insérer la Déclaration universelle des droits de l'homme de 1948 dans leurs lois.

Au Parlement syrien le ministre de la Justice se leva et commença son discours :

– Mesdames, messieurs, considérant que l'ignorance, le mépris ou l'oubli des droits de l'homme sont les seules causes des malheurs publics, je pense qu'il est temps de rappeler au monde arabe et à la nation les droits naturels, inaliénables et sacrés de l'homme. Je me permets aussi de dire que j'ai envoyé par courrier électronique une photocopie de mon discours aux ministres de la Justice du Liban et de Jordanie. Ils ont été d'accord pour dire le même discours devant leur Parlement aujourd'hui. Je vous demande de vous lever. Il commença à lire :

Article 1

Tous les êtres humains naissent libres et égaux en dignité et en droits. Ils sont doués de raison et de conscience et doivent agir les uns envers les autres dans un esprit de fraternité.

Article 2

Chacun peut se prévaloir de tous les droits et de toutes les libertés proclamés dans la présente déclaration, sans distinction aucune, notamment de race, de couleur, de sexe, de langue, de religion, d'opinion politique ou de toute autre opinion, d'origine natio-nale ou sociale, de fortune, de naissance ou de toute autre situation. De plus, il ne sera fait aucune distinction fondée sur le statut politique, juridique ou international du pays ou du territoire dont une personne est ressortissante, que ce pays ou territoire soit indépendant, sous tutelle, non autonome ou soumis à une limitation quelconque de souveraineté.

Article 3
Tout individu a droit à la vie, à la liberté et à la sûreté de sa personne.

Article 4
Nul ne sera tenu en esclavage ni en servitude ; l'esclavage et la traite des esclaves sont interdits sous toutes leurs formes.

Article 5
Nul ne sera soumis à la torture ni à des peines ou traitements cruels, inhumains ou dégradants [...]

Tous les articles de la Déclaration universelle des droits de l'homme de 1948 furent lus distinctement. A la fin de la relecture de cette déclaration, la plupart des députés syriens applaudirent un long moment, sauf malheureusement les quelques députés de l'extrême-droite syrienne. Les journalistes des pays arabes firent les gros titres de cet évènement historique...

Les députés du parti arabe laïc jordaniens, libanais et syriens décidèrent ensuite, en hommage à Mustafa Kemal Atatürk, de faire voter une loi sur la laïcité et la séparation entre le pouvoir politique et le pouvoir spirituel. Aucune loi en Syrie, en Jordanie et au Liban ne devait être d'inspiration religieuse.

De plus, les députés du parti arabe laïc de ces trois parlements décidèrent de discuter d'un projet de loi de séparation de la Mosquée et de l'Etat. Cette séparation devait aussi être inscrite dans les Constitutions syrienne, libanaise et jordanienne.

Une autre importante décision des Parlements syrien, libanais et jordanien fut de faire voter un projet de loi prévoyant de copier le Code pénal et le Code civil français et de s'inspirer aussi du Code pénal et du

Code civil d'autres pays européens. De plus, il fut aussi prévu de s'inspirer de la Charte des droits fondamentaux de l'Union européenne.

Les députés syriens, libanais et jordaniens décidèrent aussi de faire rédiger une nouvelle Constitution en s'inspirant de diverses constitutions européennes et de bien sûr y faire inscrire le principe de laïcité. Il fut aussi décidé que d'éminents juristes d'Europe viendraient pour proposer des exemples d'articles des futures Constitutions de la Syrie, du Liban et de la Jordanie.

En Israël, un projet de loi sur la séparation de la Synagogue et de l'Etat fut discuté au Parlement. En raison de l'histoire des juifs et de l'antisémitisme, la majorité des députés se refusèrent à créer des lois contre le judaïsme. Des députés du parti laïc israélien rappelèrent que, hormis dans le domaine matrimonial ou celui de la restauration, c'étaient déjà des lois laïques qui s'imposaient à tous. Le droit pénal, le droit administratif, le droit constitutionnel, le droit de la responsabilité civile, le droit des contrats ou encore le droit du commerce n'étaient par exemple pas influencés par des croyances religieuses. La laïcité était quand même le fait de ne pas faire voter des lois d'influence religieuse.

Par contre, au niveau du droit matrimonial et de la kashrout, les députés israéliens estimèrent que ce serait plus dur de changer le monopole des tribunaux rabbiniques. Il fut rappelé au Parlement israélien que la liberté de croyance était la liberté de croire ou de ne pas croire à une religion. Nul ne doit être inquiété pour ses opinions, y compris religieuses.

A Amman en juin 2180, le président de la Jordanie discutait avec le président du Liban. Ils avaient milité ensemble dans les milieux étudiants arabes laïcs durant leur année de master en droit international à l'Université de Paris Panthéon-Assas.

C'était là qu'ils avaient eu cette brillante idée de démocratiser le Proche-Orient et faire diriger ces pays par des professeurs de droit laïcs.

Il est vrai que le professeur Traboulsi était né à Paris, que son père était devenu ambassadeur du Liban en France et que sa mère était professeur d'histoire. Il n'avait jamais connu la pauvreté et n'avait jamais vécu dans un pays arabe. Par contre, son oncle avait été plusieurs fois ministre au Liban, et le nom Traboulsi était donc connu là-bas.

Le président du Liban commença :

– En 2160, nous étions tous des jeunes professeurs de droit idéalistes.

– Il en aura fallu du temps, répondit le président jordanien.

– Il est vrai que toi et moi nous avons grandi dans la France laïque. Pays des droits de l'homme. Tu te rappelles du Lycée Louis- le- Grand ?

– Oh ! oui. C'est en étudiant la Révolution française qu'on avait évoqué cette notion d'une vraie révolution démocratique au Proche-Orient.

– Et l'autre raciste de Jean avait prétendu que les Arabes n'étaient pas faits pour diriger de vraies démocraties.

– Il a fait quoi après son bac, ce Jean ?

– Il a étudié la médecine. Il n'était pas avec nous en tout cas à l'université.

– Le président actuel de Syrie avait, je crois, étudié dans un lycée à Neuilly.

– Oui. Le Lycée Pasteur. C'est vrai que c'est sympa, Neuilly. Après, il est venu dans notre lycée.

– Bref, nous avons bien réussi notre coup tous les trois. Nous dirigeons trois pays arabes avec un doctorat de droit obtenu à Paris, sauf toi, mais tu as y étudié jusqu'au master.

– C'est le prestige de Paris. La capitale du pays des droits de l'homme. Je pense que cela nous a pas mal aidés pour prendre la direction du parti arabe laïc dans nos pays et gagner les élections.

– Je le pense aussi...

Une autre importante décision des Parlements syrien, jordanien et libanais fut de créer le délit d'incitation à la haine raciale ou religieuse et de rajouter aussi le délit d'incitation à la haine envers les laïcs. Cela devait être bien inscrit dans le Code pénal.

Le parti arabe laïc était un parti du centre. Ni de droite ni de gauche. Un parti du centre. Les gouvernements européens et les Etats-Unis avaient vraiment voulu que ce parti arabe laïc prenne le pouvoir dans tous les pays arabes et avaient fait en sorte que ce rêve devienne réalité.

Des entrepreneurs israéliens acceptèrent de venir dans ces trois pays arabes pour y investir ou aider des jeunes entrepreneurs.

En fait, cela faisait des décennies que les Arabes devenaient de moins en moins religieux et s'étaient habitués au mode de vie laïc.

En juillet 2180, les ministres de l'Economie de Jordanie, de Syrie et du Liban s'étaient réunis dans un grand hôtel de luxe à Gizeh en Egypte afin de discuter de campagnes de promotion de l'innovation pour des jeunes entrepreneurs arabes diplômés d'universités.

Ils avaient décidé de créer un fond commun pour l'innovation et la création d'entreprise avec une priorité pour les domaines scientifiques. Les Américains et les Européens étaient prêts à les aider.

Les Etats-Unis, la Suisse et Israël étaient toujours les trois pays au top de l'innovation et avaient proposé leur savoir-faire aux gouvernements libanais, syrien et jordanien. Des grands entrepreneurs et des professeurs d'entrepreneuriat avaient été invités dans ces trois pays pour y parler entrepreneuriat et start-up. De plus, des universités américaines, suisses, israéliennes et même anglaises avaient décidé d'apporter leur savoir-faire à des jeunes entrepreneurs arabes diplômés d'une université arabe. Des universités françaises avaient aussi voulu aider.

Le ministre de l'Economie de Syrie commença :

– Il est temps pour les pays arabes de devenir des pays innovants à l'image des Etats-Unis, de la Suisse ou d'Israël. Regardez en face de vous, ce sont les pyramides. Les Egyptiens étaient au top de l'innovation à l'époque.

– Il est vrai que cet hôtel de luxe est prodigieux, répondit le ministre de l'Economie de Jordanie.

– J'y étais venu il y a cinq ans avec ma femme et c'était très agréable de se lever tous les matins en face des pyramides, déclara le ministre de l'Economie du Liban.

– Notre gouvernement a décidé de créer en face de l'Université d'Amman un grand centre de l'innovation. Le directeur de L'EPFL à Lausanne et du MIT à Boston vont venir nous aider et nous conseiller, dit le ministre de l'Economie de Jordanie.

– J'ai entendu dire que vous vouliez créer une grande université spécialisée en architecture ? demanda le ministre de l'Economie du Liban.

– Regarder les pyramides !!! Ce serait un beau symbole. Nous aimerions bien collaborer avec les universités égyptiennes, dit le ministre de l'Economie de Jordanie.

– J'ai entendu dire que le Département d'architecture de l'EPFL à Lausanne voulait vraiment, mais vraiment vous aider à y créer un centre universitaire au top de l'innovation en Jordanie ? demanda le ministre de l'Economie de Syrie.

– Oui et peut être aussi l'Université de Stanford en Californie. Il y a aussi des grandes écoles d'ingénieurs de Paris qui envisagent d'envoyer des étudiants en Jordanie un ou deux mois. Les cours seront donc donnés en arabe et en anglais, répondit le ministre de l'Economie de Jordanie.

– Messieurs, Napoléon arriva en Egypte en 1798 et fut émerveillé par les pyramides. Une légende affirme qu'il fut initié à la franc-maçonnerie à côté des pyramides d'Egypte. Ce grand homme rentra en France et prit le pouvoir. Il fut entouré de francs-maçons qui l'aidèrent à réformer la France. Je n'ai pas honte d'affirmer que je suis un Arabe franc-maçon, dit le ministre de l'Economie du Liban.

Messieurs, mon président m'a autorisé à vous dévoiler que j'ai aussi bel et bien commencé à fréquenter une loge maçonnique à Paris durant mes études d'économie à l'Université de Paris Panthéon-Sorbonne, dit le ministre de l'Economie de Jordanie.

– Je crois que les présidents libanais, syrien, israélien et jordanien ont fréquenté la même loge maçonnique à Paris. Le Grand Orient de France était un nom qui sonnait bien pour eux, répondit le ministre de l'Economie du Liban.

Ils discutèrent encore un long moment sur le sujet entre eux.

En octobre 2180, la plupart des multinationales américaines décidèrent d'investir énormément en Syrie, en Jordanie et au Liban.

Les citoyens arabes de ces pays devenaient des consommateurs comme les autres qui étaient de plus en plus attirés par le mode de vie américain.

Il est vrai que la plupart des multinationales des pays européens avaient déjà décidé d'investir dans ces nouveaux pays arabes laïcs, et cela avait contribué à un meilleur niveau de vie dans ces pays et surtout à un meilleur pouvoir d'achat.

Il est vrai aussi que le budget de la défense avait été réduit au Liban, en Syrie, en Jordanie et même en Israël. Surtout depuis que la Palestine indépendante et Israël collaboraient désormais dans beaucoup de domaines.

Des start-up avaient été créées sur le campus universitaire d'une université palestinienne, et cela ne choquait même plus que des professeurs d'entrepreneuriat de l'Université de Tel-Aviv se déplacent pour venir aider.

De plus, des jeunes entreprises israéliennes avaient décidé de s'implanter en Jordanie, en Syrie et au Liban. Cela ne semblait pas poser de problèmes.

Octobre 2180, le gouvernement laïc syrien décida de faire venir des professeurs d'informatique des universités de tous les pays arabes et d'Israël pour une importante série de conférences sur le défi informatique dans les démocraties arabes laïques.

Le président syrien avait l'ambition de créer un grand campus universitaire spécialisé dans les nouvelles technologies. Il avait décidé d'investir plus d'un milliard sur le projet. L'Union européenne était prête à beaucoup aider.

CHAPITRE 13

En novembre 2180, la plupart des ministres de l'Education des gouvernements laïcs de Jordanie, de Syrie et du Liban décidèrent de faire donner un cours d'histoire des religions et de la franc-maçonnerie au collège et au lycée en obligeant les professeurs à expliquer que la religion est un fait privé et ne doit pas être imposée.

De toute façon, les Parlements de Syrie, de Jordanie et du Liban avaient fait voter un nouvel article de loi dans leur Code pénal pour interdire la coercition religieuse. Ce délit était passible de deux ans de prison au maximum. De plus, dans le nouveau Code civil de ces trois pays arabes, il y avait aussi maintenant la notion d'atteinte à la personnalité.

Israël avait déjà cela depuis longtemps, et c'est pourquoi le ministre de la Justice avait pu envoyer par e-mail des extraits du Code pénal et du Code civil israélien en arabe à ses homologues dans les pays voisins.

De plus, le voile islamique n'était plus obligatoire dans ces trois pays arabes, et les gouvernements arabes laïcs voulaient maintenant pénaliser le harcèlement sexuel, puisque certaines femmes s'habillaient à l'occidentale.

Les ministres de la Justice jordanien, syrien et libanais s'étaient déplacés à Jérusalem pour rencontrer le ministre de la Justice israélien. Ils avaient été enchantés de l'accueil du personnel au ministère de la Justice.

A Damas, le président syrien discutait avec son ministre de la Justice et commença :

– On a fait du bon travail depuis sept mois.

– Oui. Nous avons plus que la majorité au Parlement et tu as bien vu que les Syriens voulaient voir ce changement.

– Je peux les comprendre. Nous n'avons jamais eu un gouvernement ni un parlement laïcs.

– C'est une expérience nouvelle. Nous avons cinq ans pour faire nos preuves.

Fin novembre 2180, dans cinq mois cela ferait un an que la Syrie, la Jordanie et le Liban étaient dirigés par des parlementaires et par des gouvernements du parti arabe laïc.

En Israël, c'était une très bonne nouvelle, et c'est pourquoi le Premier ministre israélien avait décidé de faire un tour dans ces trois pays voisins afin de discuter avec le président du pays. La jeunesse arabe, majoritaire en Jordanie, en Syrie et au Liban, s'était habituée à ce mode de vie laïque et à une paix tranquille avec Israël. La recherche du bonheur matériel avait remplacé la recherche de spiritualité et d'incitation à la haine religieuse.

Le Premier ministre israélien avait donc décidé, pour des raisons évidentes, d'aller rencontrer ses anciens amis et camarades de classe de l'Université de Paris Panthéon-Assas.

A Damas, le président syrien était très content de rencontrer le Premier ministre israélien et demanda à son Parlement d'autoriser un discours du Premier ministre. Il en informa le président jordanien, qui estima que c'était aussi une bonne idée au Parlement d'Amman. Par contre, le président israélien estima que ce serait trop stressant de faire des discours devant trois Parlements arabes. Il fut donc décidé que le président israélien ferait seulement un discours au Parlement syrien.

De toute façon, cela faisait bien plus d'un siècle que la Syrie, le Liban et même l'Irak avaient fait la paix avec Israël. Il n'y avait pas eu de guerre entre Israël et les pays arabes au XXIIe siècle. Israël existait depuis deux cent trente-deux ans, et très peu d'Arabes dans ce monde imaginaient la destruction de ce pays. Israël existait depuis tellement longtemps que la jeunesse arabe ne voyait pas vraiment la possibilité de faire disparaître ce pays.

Le président syrien décida de téléphoner à son homologue en Jordanie :

— Tu sais que le Premier ministre israélien a accepté l'idée de faire un discours au Parlement syrien.

— Ah oui ? Sympa. Il nous fera des grands discours comme à la fac de droit à Paris.

— C'est le but. Nos peuples ont arrêté de diaboliser les juifs depuis longtemps.

— A part les membres de l'extrême-droite dans nos pays.

— Oui. Je sais, ils sont plus nombreux que prévu.

— Statistiquement, nous avons la même proportion d'extrémistes qu'en Europe.

— Ah oui ? Tu as fait une étude ?

— Evidemment, mon ministre de la Justice a fait une enquête très détaillée sur le sujet.

— Tu peux m'envoyer le rapport ?

— Bien sûr. Il s'appelle « Rapport sur l'extrémisme de droite en Jordanie ».

— OK. Je vais demander au ministère de la Justice de s'en inspirer pour faire pareil.

— Bonne idée. Vous n'avez pas l'équivalent en Syrie ?

— Bien sûr que nous avons fait des études, mais aucun rapport complet n'a été rédigé. Il y a bien un petit rapport sur l'extrémisme religieux, mais là on parle des mouvements nationalistes. De l'extrême droite.

— Très juste, des groupes religieux ou des sectes ne sont pas des partis politiques d'extrême-droite.

— Depuis que le parti arabe laïc a pris le pouvoir en Syrie, en Jordanie et au Liban, l'extrême-droite devient de plus en plus importante.

— Il ne fallait pas avoir la naïveté d'imaginer qu'avoir la majorité au parlement c'est avoir tous les députés du parlement dans notre poche.

– Oh ! oui. Mais il est vrai que l'extrême-droite dans ton pays ou mon pays est minoritaire.

– Et vraiment pas majoritaire.

– Très juste.

– Et pour le Premier ministre israélien, il sait qu'il sera dans un parlement composé d'une majorité de députés du parti arabe laïc, mais avec quelques extrémistes de droite aussi...

Décembre 2180, Le Premier ministre israélien arriva à Damas et discuta avec le président syrien dans son palais présidentiel :

– Alors monsieur le Premier ministre, tu vas bien ?

– Très bien. Cela va bientôt faire huit mois que je suis élu et je commence à m'y habituer.

– Il est vrai que toi et moi nous avons la majorité au parlement et dans la population.

– Remarque, en Israël, cela fait des siècles qu'un parti laïc existe.

– Des siècles ? Il ne faut pas exagérer. Peut-être plus de deux cent ans. Possible. Je me renseignerai.

– Tu es prêt pour ton discours au Parlement syrien ?

– Bien sûr. Ce sera historique. Il est étrange qu'aucun président ou Premier ministre ne l'ait déjà fait. Le traité de paix entre Israël et la Syrie a été signée en 2080.

– Il y a pile cent ans ? C'est marrant quand même.

– Cela faisait cent ans en octobre 2180, mais on ne va pas chipoter.

– J'imagine que tu vas en parler dans ton discours cet après-midi.

– Bien sûr. cent ans, 99 % des syriens d'aujourd'hui n'ont pas connu la notion de guerre entre Israël et la Syrie. A part les rares Arabes de plus de 100 ans.

– Et encore, s'ils ont 101 ans, ils avaient 1 an le jour de la signature du traité de paix...

Le président syrien rigola un long moment sur ce sujet...

L'après-midi arriva, et le président syrien entra au parlement accompagné du Premier ministre israélien. Lorsque le président d'Israël arriva, la majorité des députés se levèrent et applaudirent. Le président syrien commença à faire son beau discours, et ensuite le président israélien commença à prendre la parole en arabe :

– Madame, monsieur, je suis très honoré d'être parmi vous ici aujourd'hui. Cela fait cent ans que la Syrie et Israël ont signé un traité de paix. L'Irak et le Liban suivirent. Ce beau processus avait commencé à la fin du XXᵉ siècle avec l'Egypte puis la Jordanie. La plupart des Syriens n'ont jamais connu de guerre avec Israël, et les Américains aident financièrement votre beau pays depuis plus d'un siècle. La collaboration entre la Syrie, Israël et les Etats-Unis a amené énormément de créations d'entreprises et d'emplois. Mon ministre de l'Economie m'avait rendu un rapport sur la collaboration technologique et industrielle entre la Syrie et Israël, et j'ai été très honoré d'apprendre que 60 % de nos exportations vont en Syrie. De plus, de nombreuses entreprises israéliennes travaillent en Syrie depuis plus de sept mois. La nouvelle collaboration entre l'Université de Tel-Aviv et l'Université de Damas cette année a permis la création de nombreuses entreprises prometteuses en Syrie. Au début du XXIᵉ siècle, on parlait d'Israël comme d'une start-up nation, mais maintenant la Syrie a beaucoup appris d'Israël, et je suis très content de découvrir qu'il y autant d'ingénieurs syriens qui créent leur entreprises deux ou trois ans après leur sortie de l'université. De plus, de nombreux Syriens partent en vacances à Tel-Aviv depuis quelques années. Mon ministre de l'Economie m'a aussi appris que de nombreuses entreprises syriennes ont réussi à mettre une filiale de leur entreprise à Tel-Aviv cette année, et je suis ravi de voir cette collaboration entre cerveaux syriens et israéliens.

Madame, monsieur, j'ai été ravi de pouvoir faire ce discours devant vous et je vous prie de croire en mes meilleures salutations...

La plupart des députés se levèrent et applaudirent un long moment...

CHAPITRE 14

Le Premier ministre israélien est arrivé à Beyrouth. Il a déjà rencontré le président jordanien. L'entretien s'est bien passé avec le président. En arrivant, à l'aéroport de Beyrouth, le Premier ministre israélien fut très ému d'entendre l'hymne de son pays et de voir les drapeaux du Liban et d'Israël ensemble. Le président libanais voulait le recevoir avec tous les honneurs. Il est vrai que durant leur jeunesse à Paris ils s'entendaient bien et avaient passé de nombreuses soirées universitaires ensemble.

Le président libanais le fit entrer dans une limousine et entama la discussion :

– Cher ami, j'en ai discuté avec mon ministre de l'Economie et avec le président américain. Nos deux nations peuvent maintenant bien collaborer, car nous sommes amis.

– Tu as raison, j'en avais aussi discuté avec le président des Etats-Unis et il estime très important que nos deux nations puissent collaborer.

– De toute façon, cela fait plus de quatre-vingt-dix-huit ans que nos pays ont signé un traité de paix.

– Très juste, c'était après le traité de paix entre Israël et la Syrie.

– Par contre, nos deux nations étaient un peu en froid ces dix dernières années.

– C'est pour cela que tu es là. Nous avons relancé l'amitié entre le Liban et Israël.

– De plus, les francs-maçons américains voient d'un très bon œil l'alliance de deux anciens frères de la lumière.

– Je sais, une délégation de francs-maçons américains était venue me voir à Jérusalem.

– Le fameux concept de fraternité des francs-maçons...

– Remarque, je ne fréquente plus de loge maçonnique, et toi non plus je crois.

– Exact. Mais bon, on est considéré comme des anciens frères qui vont apporter la fraternité et la tolérance...

Les deux présidents arrivèrent au palais présidentiel de Beyrouth pour un repas luxueux à l'intérieur de la plus belle salle. Après, le repas, il était prévu de rencontrer quelques ministres du gouvernement et parler un peu affaires.

Ils se mirent à table, et le Premier ministre israélien commença la discussion :

– Nos deux pays étaient un peu en froid ces dernières années, mais maintenant nous pouvons relancer des projets.

– Très juste.

– De plus, nous devons discuter de notre projet de collaboration entre l'Université de Jérusalem et l'Université de Beyrouth.

– Et aussi l'Université de Tel-Aviv. Je me dois de permettre la création d'un peuple d'entrepreneurs et faire du Liban une start-up nation.

– Cela fait plusieurs années que les professeurs des universités de Beyrouth et de Tel-Aviv s'envoient des e-mails. Il est temps de créer ces entreprises libano-israéliennes.

– Il est vrai que le président des Etats-Unis m'en avait parlé. Il paraît que vous avez créé en Israël des entreprises dans le domaine de l'extraction et du raffinement du pétrole à un coût très bas.

– Très juste.

– De toute façon, la dernière fois que le Liban a attaqué Israël, c'était il y a presque cent soixante-quinze ans...

Ils discutèrent encore un moment ensemble.

Amman janvier 2181, le président jordanien voulait discuter avec son ministre de l'Economie. Il avait rencontré le Premier ministre israélien et il voulait étudier de plus près la collaboration israélo-jordanienne. Le ministre de l'Economie arriva et il commença :

– Monsieur le président, après le départ du Premier ministre israélien, j'ai donc demandé une étude détaillée sur les aboutissements de la collaboration entre Israël et la Jordanie aux niveaux économique, industriel et scientifique.

– Et alors ? Les résultats ?

– Les résultats sont plus qu'impressionnants. Depuis que des professeurs de l'Université de Tel-Aviv et des jeunes entrepreneurs israéliens viennent partager leur savoir à l'Université d'Amman, plus de 2 600 start-up ont été créées. Certaines ne sont même plus des start-up mais des entreprises dans le domaine des hautes technologies.

– Vous avez des preuves que les Israéliens ont vraiment aidé ?

– Oh ! que oui. Durant des start-up week-ends à l'Université d'Amman, des professeurs d'université et des entrepreneurs israéliens avaient rédigé des notes de synthèse sur leurs prestations : 90 % des jeunes entreprises dans le domaine des hautes technologies ont été créées durant et après ces start-up week-ends à l'Université d'Amman.

– Ah oui ?

– C'est surtout après ces start-up week-ends que des professeurs de l'Université d'Israël et des jeunes entrepreneurs israéliens sont revenus à Amman pour aider un peu plus. Certains ont même investi dans ces jeunes entreprises jordaniennes. Je vous ai apporté un rapport sur le sujet.

– Je vais le lire. Donc, vous me dites que des entrepreneurs israéliens ont investi en Jordanie ?

– Oui. Je crois même que ces jeunes entrepreneurs israéliens en ont trop fait. Ils n'avaient pas besoin de nous. Ils voulaient contribuer à la prospérité de la Jordanie.

– Noble idéal. Je devrais les féliciter. Pensez à me prendre des rendez-vous pour aller rendre visite à ces jeunes start-up.

– Beaucoup se trouvent à proximité du campus universitaire d'Amman. Il y a des locaux à louer pas trop cher. Je crois que c'est le doyen de la faculté d'informatique de l'Université d'Amman qui a proposé que l'université paie les loyers à ces jeunes entrepreneurs.

– Une idée jordanienne ?

– Une idée israélienne Comme cette idée de collaboration avec l'EPFL de Lausanne, l'Université de Stanford en Californie et le MIT de Boston. Ils ont eu des vidéoconférences durant ces start-up week-ends, et des grands experts de Lausanne, San Francisco et Boston ont pu répondre aux questions des jeunes étudiants jordaniens entrepreneurs en herbe.

– Bonne idée. Oui. Il serait temps que je me déplace à l'Université d'Amman pour voir cela de plus près. Cela fait huit mois que cela dure ?

– Exactement, depuis l'arrivée au pouvoir du parti arabe laïc en Jordanie. Quelques jours après le résultat des élections législatives, l'Université de Tel-Aviv a proposé ses services à l'Université d'Amman pour des start-up week-ends avec des professeurs d'université et des jeunes entrepreneurs israéliens qui viendraient gratuitement donner des conseils à de jeunes entrepreneurs jordaniens.

– Très bonne idée. Je crois qu'on m'en avait parlé il y a neuf mois, mais je n'y avais pas trop fait attention. J'avais donné mon accord sans trop y penser.

Ils ne dorment pas à Amman et font donc l'aller-retour le même jour. Parfois, ils louent un jet privé. Ils peuvent être 30 ou 40 parfois à venir de Tel-Aviv. Et ils reviennent de temps en temps pour voir les progrès des jeunes entrepreneurs.

Jérusalem, février 2181. Le ministre de l'Education nationale avait rendez-vous avec des directeurs d'école de Tel-Aviv et Jérusalem. Il commença à parler :

– Nous sommes d'accord, vous allez donc vous déplacer en Syrie, en Jordanie, au Liban.

– Oui. Comme vous nous le demandez, nous allons « vendre » nos cours d'initiation à l'entrepreneuriat pour les adolescents.

– Très bien. J'ai déjà téléphoné aux ministres de l'Education de tous ces pays et ils sont d'accord.

– Donc, vous voulez qu'on se déplace dans les écoles pour vanter les mérites de nos cours d'entrepreneuriat pour les 14-18 ans à l'école.

– Oui. Et n'oubliez pas de bien articuler en arabe. Nous avons fait imprimer de belles brochures en arabe que vous devrez donner aux directeurs d'école.

– Nous ne ciblons que les écoles de ces trois capitales arabes pour l'instant ?

– Oui. Et seulement celles qui ont bonne réputation. Ecoles privées et publiques.

– Nous attendons la liste.

– Mon ministère est en train de les faire imprimer. Le ministre de l'Education nationale en Syrie et en Jordanie ont été très gentils avec moi au téléphone. C'était un peu plus dur avec le Libanais.

– Par contre, on verra plus tard pour l'Egypte.

– Je vous conseille quand même de retourner le soir dans vos familles. C'est plus agréable. De toute façon, vous pourrez utiliser nos jets privés.

– Vos experts en marketing ont rédigé en arabe des prospectus assez marrants.

– Oui. Il est temps de vendre le rêve israélien de l'entrepreneuriat. Devenir riche en créant son entreprise...

– Avec un mélange de rêve américain. C'est marrant de vendre Israël comme une pré-étape au rêve américain.

– Il y a une part de vrai. En travaillant avec Israël, des entrepreneurs arabes pourraient plus facilement s'ouvrir au marché américain avec la bénédiction du gouvernement américain...

Cela faisait plus de cent ans que le ministère de l'Education nationale en Israël avait imposé des cours d'entrepreneuriat dans toutes les écoles. Au début, cela n'avait pas été évident, mais la population israélienne s'était habituée à cela, et ce cours existait maintenant depuis très longtemps dans ce pays. Depuis moins d'un an, des experts dans le domaine avaient eu l'idée de vouloir faire imposer cela dans les pays voisins suite à la victoire du parti arabe laïc autour d'Israël.

Une des idées était de faire collaborer des enfants arabes et juifs sur des projets par internet et d'offrir après la possibilité d'échanges sur des sujets liés à l'innovation. Il y avait déjà des collaborations au niveau universitaire, mais l'idée était d'habituer les Arabes, dès l'âge de 14 ans, à la création d'entreprises...

CHAPITRE 15

Mai 2181. La Syrie, la Jordanie et le Liban ont organisé des sondages pour savoir ce que leur population pensait de la gestion laïque de leur pays. Entre 70 % et 80 % des Arabes de ces trois pays approuvaient ce que faisaient leur gouvernement.

De plus, la découverte que les présidents libanais, syrien et jordanien avaient fréquenté des temples francs-maçons à Paris donna envie à la population de ces trois pays de lire des livres sur le sujet.

De nombreux ouvrages sur la franc-maçonnerie furent publiés en arabe, et des conférences sur le sujet furent organisées de plus en plus souvent dans diverses universités du monde arabe. De plus en plus de Jordaniens, de Syriens et de Libanais demandèrent à intégrer des loges maçonniques, et des francs-maçons américains et français se déplacèrent de plus en plus souvent en Syrie, en Jordanie et au Liban pour y faire des conférences.

De plus, de nombreux mots hébreux étaient utilisés en franc-maçonnerie, et cela permit à de nombreux Jordaniens, Syriens et Libanais de s'intéresser à la culture juive. Ils découvrirent que de grands génies avaient été francs-maçons, et cela leur donna envie d'approfondir ce sujet.

Beyrouth, juin 2181. Le ministre de l'Education nationale avait invité les ministres de l'Education de Jordanie, de Syrie et d'Israël. La rencontre se passait dans les locaux du ministère de l'Education nationale du Liban.

Le ministre de l'Education nationale du Liban commença son discours :

– Messieurs. Nous avons longuement échangé par e-mails. Nous en sommes arrivés à la conclusion qu'il va falloir rénover un peu nos cours d'histoire au lycée et au collège. Nous allons intégrer dans les cours d'histoire un chapitre sur la franc-maçonnerie et son apport au monde, ainsi qu'une plus grande ouverture à la culture juive et à l'histoire de l'Europe. De plus, nous allons intégrer ce programme d'entrepreneuriat dans nos écoles. Le ministre de l'Education nationale de Syrie a raison. Il vaut mieux intégrer ce programme au lycée plutôt qu'au collège. Toutes ces réformes prendront effet à partir de septembre.

Le ministre de l'Education nationale de Syrie prit la parole :

– Messieurs, le programme d'entrepreneuriat en Israël a des effets très positifs dans ce pays. Je reviens d'un voyage à Tel-Aviv et j'ai pu étudier un rapport sur la création d'entreprises avant et après le fait d'avoir rendu ce cours obligatoire à l'école en Israël.

Le ministre de l'Education nationale d'Israël s'exprima :

– Il ne faudrait pas oublier aussi le programme des start-up weekends. Beaucoup d'experts israéliens se déplacent de plus en plus souvent à Amman, Beyrouth et Damas. Je pense que nous avons fait du très bon travail dans ce domaine ces derniers mois.

Le ministre de l'Education nationale du Liban se leva pour prendre la parole. :

– Messieurs, les start-ups week-ends se passent pour l'instant très bien. Il y a un projet avec l'Université du Caire. J'en profite encore pour remercier le ministre de l'Education nationale d'Israël qui a tant œuvré pour que ces start-up week-ends se passent tous les mois avec le soutien financier et intellectuel d'Israël. Messieurs, je crois que vous ne réalisez pas combien l'Etat d'Israël a investi pour la jeunesse universitaire du Liban, de Jordanie et de Syrie. J'ai même cru comprendre que le président de l'Egypte voulait faire de son pays une start-up nation et en avait parlé avec le Premier ministre. Messieurs, j'aimerais quand même que l'on applaudisse et remercie le représentant de l'Etat d'Israël...

Le ministre de l'Education nationale d'Israël fut félicité par les autres ministres et ils discutèrent encore sur plusieurs sujets pendant une heure.

Le Caire, juillet 2181. Le président égyptien avait invité le président jordanien dans son palais présidentiel. Il voulait discuter avec lui de cette collaboration scientifique avec Israël au niveau universitaire. Le recteur de l'université principale de la capitale lui avait envoyé un rapport très bien documenté en arabe des Israéliens sur le sujet. Cela faisait tellement longtemps que l'Egypte et Israël étaient en paix que cela aurait été un peu ridicule de refuser ce que la Syrie, le Liban et la Jordanie avaient accepté avec Israël.

Le président égyptien commença :

– Monsieur, j'ai lu et étudié le rapport sur la collaboration scientifique entre votre pays et Israël. Je trouve amusant ces start-up week-ends à l'Université d'Amman et j'ai pu lire que de nombreuses entreprises dans le domaine des hautes technologies ont été créées en Jordanie.

– Des milliers dans tout le pays en fait. Des Jordaniens n'hésitent pas à quitter Amman pour implanter leur entreprise dans des petites villes jordaniennes. Cela permet de faire travailler des personnes en dehors de la capitale.

– Je crois comprendre que vous avez aussi créé une zone technologique en dehors d'Amman ?

– Exactement, une forme de Silicon Valley à la californienne. Ils ont aussi cela en Israël. La Silicon Wadi. En fait, cette zone n'est pas très loin du campus universitaire d'Amman. Un peu comme l'Université Stanford en Californie.

– Intéressant. Et vous l'avez appelée comment ?

– La Silicon Jordan. Comme vous le savez, c'est le nom de la Jordanie en anglais.

– Sympa. Et vous me dites que des grandes entreprises américaines y ont installé une filiale ?

– Oui, et quelques entreprises israéliennes dans le domaine des hautes technologies. Mais très peu. Le but étant de créer une zone d'intelligence jordanienne pour des brillants ingénieurs jordaniens de souche.

– Nous avons maintenant près des pyramides de Gizeh un important centre universitaire, et il serait sympa d'organiser des start-up week-ends près des pyramides.

– Surtout que, selon la légende, des hébreux auraient travaillé comme esclaves en Egypte avant d'être libérés par Moïse...

– Marrant. Je crois que les experts israéliens dans le domaine de l'entrepreneuriat viennent bénévolement chez vous durant ces start-up week-ends ?

– Oui, mais il y a une coopération financière entre la Jordanie et Israël.

– J'imagine. Je pense qu'il serait temps que des professeurs d'informatique israéliens parlant TRÈS bien l'arabe viennent donner des cours en Egypte de temps en temps. Je me sentirais insulté s'ils venaient bénévolement. Tout travail mérite salaire.

– Très juste, je vais y penser pour l'Université d'Amman et en parler avec le président de la Syrie ou du Liban.

– Je crois que des professeurs israéliens sont déjà venus donner des conférences dans votre pays ?

– Bien sûr, surtout depuis l'arrivée au pouvoir du parti arabe laïc. Certains professeurs d'université en Israël sont membres du parti laïc israélien qui est un parti dont les parlementaires sont tous très diplômés.

– J'en avais entendu parler. Un parti de titulaires de doctorat au niveau des parlementaires à la Knesset...

CHAPITRE 16

Paris, juillet 2181. Le président syrien a accepté l'invitation du président français à l'Elysée. En juin, les présidents libanais et jordanien étaient venus voir le président français.

Fin juin, les présidents libanais et jordanien en avaient profité pour faire une conférence en français à l'Université de Paris Panthéon-Assas et avaient été chaudement applaudis par les étudiants. Ils en avaient aussi profité pour discuter avec des professeurs d'université et des anciens amis francs-maçons.

Ils avaient ainsi promis qu'ils reviendraient donner une conférence au temple maçonnique de la rue Cadet. Même si les présidents libanais et jordanien ne fréquentaient plus de temples maçonniques.

Au salais de l'Elysée, le président français commença à parler :

– Mon cher ami, nous avons fréquenté la même université à Paris, sauf que moi j'ai fait mon master à Sciences Po Paris.

– Et vous avez été à l'ENA après. Je crois que nous étions ensemble au niveau *bachelor*.

– Durant deux ans oui. On se connaissait de vue. J'ai voulu faire ma troisième année de *bachelor* à Londres. Expérience intéressante.

– J'imagine. J'y avais séjourné un été pour un programme de droit anglais à l'Université de Londres.

– Vous savez que je dis à mes ministres que nous avons été ensemble à l'université durant deux ans. Nous discutions parfois sur les cours mais sans plus.

– C'est sûr. Mais vous avez connu plus personnellement le président jordanien il me semble.

– Oui. Le professeur de droit international public avait imposé des groupes de trois étudiants pour un travail.

– Marrant.

– Justement, nous en parlions avec le président jordanien. Nous nous étions bien amusés sur le sujet. Je me rappelle aussi du bar en face du Panthéon où nous allions boire une bière après le travail à la bibliothèque.

– Le président jordanien est toujours à Paris, je crois.

– Oui, il a fait une conférence à l'Université de Paris Panthéon-Assas et il reste encore quelques jours à Paris. Il avait promis de faire une conférence dans un temple maçonnique qu'il a fréquenté.

– Que lui et moi avons fréquenté. Je vais me renseigner.

– Il dort à l'Hôtel de Crillon. Ma secrétaire peut vous arranger un rendez-vous...

Ils discutèrent encore pendant plus de deux heures.

Paris, juillet 2181, Hôtel de Crillon. Le président jordanien et le président syrien mangeaient ensemble dans le restaurant gastronomique de l'hôtel. Pour la plupart des clients, il était inimaginable que deux présidents arabes puissent manger ensemble tranquillement à Paris. Le hasard des choses voulait que ces deux présidents fussent amis et avaient étudié ensemble à Paris.

Le président syrien commença :

– Alors comme cela tu pars après-demain ?

– Oui, j'ai vu le président de la République, deux ministres, des professeurs de l'Université de Paris Panthéon-Assas et j'ai même fait une conférence au Grand Orient de France.

– Sympa. Moi je dors à l'hôtel Ritz et j'ai donné rendez-vous ce soir au bar de l'hôtel à trois anciens amis du Grand Orient de France. On va discuter affaires.

– J'imagine, et ils travaillent où ?

– Un ami travaille au ministère de la Défense, et deux autres, au ministère des Affaires étrangères.

– J'ai été au Quai d'Orsay il y a deux jours, c'était moins amical mais très intéressant. Quelle chance nous avons de parler français et d'avoir un peu grandi à Paris !

– Il est évident que notre éducation à la française intéresse énormément la France. Le gouvernement français veut vraiment créer un partenariat important entre nos deux pays et le sien.

– Il est clair que nos deux pays sont des amis de la France, et c'est pourquoi des étudiants français pourront venir y faire des stages ou étudier dans nos universités durant un an.

– Tu parles de ce programme Erasmusarabe ?

– Oui. On en a discuté au ministère des Affaires étrangères. Je leur ai juré sur mon honneur que les étudiants français ne risqueraient rien et qu'il serait en sécurité à l'université dans mon pays.

– Il y a aussi des programmes de six mois à l'université. Je pense que c'est mieux.

– De plus, la plupart des grandes entreprises françaises veulent s'implanter en Syrie et en Jordanie. La main-d'œuvre est beaucoup moins chère.

– Tu as aussi promis d'ouvrir des entreprises d'Etat à des stagiaires français ?

– Oui. Pour des stages de six mois ou un an...

Ils discutèrent de choses et d'autres et, à la fin du repas, ils allèrent se promener sur la place de la Concorde avec leurs gardes du corps.

Paris, juillet 2181. Le présentateur vedette du journal télévisé du 20 heures de TF1 l'avait annoncé hier. Il avait pu interviewer le président syrien et le président jordanien alors qu'ils étaient à Paris. Cela s'était passé dans la suite d'hôtel du président jordanien en face de la place de la Concorde. La mairie de Paris avait prévu depuis longtemps pour le mois de septembre un festival de culture syrienne et jordanienne, c'est pourquoi TF1 avait voulu diffuser cet entretien télévisé avec ces deux présidents du Proche-Orient.

Le présentateur de TF1 avait été prévenu par un ami qui mangeait au restaurant gastronomique de l'Hôtel de Crillon en même temps que ces deux présidents du Proche-Orient. Il avait donc attendu la fin du repas pour les aborder et leur donner sa carte de visite. Cela n'avait pas été évident avec les gardes du corps. C'était le président jordanien qui avait proposé de faire l'interview tout de suite dans sa suite d'hôtel avec une vue sur la place de la Concorde.

A 20 h 10, le journal de TF1 lança l'enregistrement de cet interview :

– Monsieur le président syrien, bonsoir. Nous allons commencer par vous. Vous parlez très bien le français il me semble :

– Bien sûr, mon père a été ambassadeur de Syrie en France durant des années, et le père du président jordanien a été ambassadeur de Jordanie en France.

– Intéressant, vous avez donc été au lycée à Paris.

– Oui. Moi et le président jordanien, nous avons passé notre baccalauréat en France et nous avons étudié à l'université en face du Panthéon dans le quartier Latin. Et parfois à la rue d'Assas.

– Bien. Je pense que cela plaira aux Français qui nous regardent. Vous voulez leur dire un mot ?

– Bien sûr. Mes chers Français. Moi et le président jordanien nous avons étudié en France, et vous serez toujours les bienvenus dans nos deux pays si vous désirez y partir en vacances.

– Vous allez fêter le 14 Juillet ici ?

– Malheureusement, je dois rentrer en Syrie avant.

– Cela fait plus d'un an que vous êtes au pouvoir et que votre parti politique a gagné les élections législatives.

– Exactement. Et je pense que nous avons déjà bien reformé notre pays. Mon gouvernement a rédigé un rapport sur la première année de gouvernance de mon parti politique et je sais que les gouvernements libanais et jordanien ont fait la même chose.

– Vous me disiez, avant l'interview, que vous aviez voulu faire un grand parti arabe laïc à l'image des deux grands partis politiques au Parlement européen.

– Exactement. Notre parti arabe laïc se trouve maintenant dans énormément de pays arabes.

– Je me tourne maintenant vers le président jordanien. Bonsoir.

– Bonsoir. Vous pouvez constater que ma suite d'hôtel est superbe.

– Oh ! oui. Je pense que vous avez toujours plaisir à retourner à Paris.

– Bien sûr. Et j'aime beaucoup cette place de la Concorde avec vue sur la tour Eiffel.

– Splendide. Vous avez donc demandé de faire rédiger un rapport sur la première année de gouvernance du parti arabe laïc en Jordanie, si j'ai bien compris.

– Oui. Et j'ai voulu qu'on évoque ma volonté de créer une Silicon Valley californienne en Jordanie. Je l'ai fait appeler la Sillicon Jordan et je suis très honoré de dire que les Israéliens nous ont beaucoup aidés dans ce domaine.

– Il est vrai qu'ils sont depuis longtemps des experts dans le domaine des hautes technologies. Israël Start-up nation.

– Exactement, mais nous commençons à les concurrencer un petit peu. Il y a de brillantes collaborations entre des ingénieurs jordaniens et israéliens.

– Messieurs, je pense que vous avez eu une journée chargée et je vous remercie de ce petit entretien dans ce superbe hôtel.

L'entretien dura encore une trentaine de minutes et se termina dans une ambiance amicale…

Londres, août 2181. Le président libanais avait rendez-vous avec le Premier ministre d'Angleterre. Le rapport du parti arabe laïc sur la première année de gouvernance en Jordanie, en Syrie et au Liban avait pour finir été envoyé en anglais à tous les gouvernements occidentaux de cette planète. De plus, certains journalistes avaient pu le lire et en avaient publié certains extraits dans les journaux.

Le Premier ministre anglais commença la discussion :

– J'ai bien étudié votre rapport. Il est impressionnant.

– Merci. Je pense que nous avons bien travaillé. Mon pays arabe commence gentiment à ressembler aux pays occidentaux.

– On sent bien l'approche maçonnique. Comme vous, j'ai tenté étant jeune l'expérience ici à Londres. Pas à Paris.

– Comme vous, j'ai quitté cette société secrète, mais il est vrai que j'en ai conservé des acquis. Un peu comme ma formation juridique.

– Il est vrai que mes études de droit à l'Université d'Oxford me sont toujours très utiles dans mon travail.

– Vous voulez toujours que je fasse ma conférence à l'Université de Londres demain ?

– Bien sûr. Et c'est pour cela que nous devons en parler. Vous savez aussi bien que moi qu'il y a énormément d'islamistes à Londres, et j'ai l'intuition qu'ils sont plus nombreux qu'à Beyrouth.

– Il est clair que mon gouvernement libanais fait tout pour plaire à sa population arabe.

– Et ce n'est pas le cas dans mon pays ?

– Vous savez très bien que les islamistes voient l'Angleterre comme un pays de mécréants alors que le parti arabe laïc au Liban est composé de Libanais de culture musulmane.

– On dit « musulman non pratiquant » je crois.

– Juste. Il y a aussi des parlementaires de mon parti qui sont des chrétiens non pratiquants. Maronites ou d'autres tendances chrétiennes.

– Ce sera une très bonne expérience de faire votre conférence demain devant tous ces étudiants. L'université a fait une bonne campagne marketing.

– Bien sûr. J'expliquerai que l'on peut faire de la politique dans un pays arabe sans citer des textes du Coran, et penser en premier au bien-être de mes concitoyens plutôt qu'aux règles religieuses.

– Votre gouvernement n'est pas antireligieux.

– Non. Je me suis inspiré de ma jeunesse en France où je suivais la politique du pays. Je n'ai jamais vu un gouvernement français pratiquer une politique antireligieuse et inciter à la haine envers des religieux.

– La laïcité est la neutralité entre toutes les religions dit un adage français.

– Très juste. De toute façon, le délit d'incitation à la haine religieuse existe dans mon pays. Heureusement, vu le nombre de tendances chrétiennes à Beyrouth en plus des sunnites et des chiites.

– Et des juifs, non ?

– Très juste, des juifs religieux sont venus pour tenter leur chance à Beyrouth et rénover la synagogue sachant que mon gouvernement ne leur est pas hostile.

Ils discutèrent encore pendant une heure...

CHAPITRE 17

Damas, septembre 2181. Le président Syrien recevait avec tous les honneurs le président iranien. Il savait que ce nouveau président se sentait mal à l'aise en tant que Perse et avait l'intuition que ce serait pareil avec le président turc qui n'est pas un Arabe.

Dans le palais présidentiel, le président syrien commença à prendre la parole :

– Monsieur le président iranien, je suis très honoré de vous revoir, mais en tant que dirigeant d'une très belle nation.

– Merci à vous. Il est vrai que j'aurai grand plaisir à vous inviter à Téhéran.

– Il est prévu que je me déplace à Téhéran et je me demande même si je ne ferai pas un discours dans votre Parlement.

– Pourquoi pas ?

– Mon ministre de l'Intérieur m'a dit que vous avez étudié un an à l'Université de Paris Panthéon-Assas.

– Très juste.

– Vous auriez pu m'en parler lorsque nous nous sommes rencontrés la première fois. Vous devez savoir que j'ai étudié jusqu'au doctorat.

– Un simple oubli. Je crois que vous étiez avec les actuels présidents jordanien, libanais et israélien.

– Très juste. Nous avons étudié ensemble et nous sommes devenus amis.

– Très pratique pour réformer ensemble et amicalement notre Orient.

– Oh ! oui. Mon ami le président libanais avait fait l'amusante comparaison avec Napoléon qui avait placé ses frères à la tête de pays autour de la France.

– Napoléon le franc-maçon.

– Marrant que vous parliez de cela. Napoléon était fils de franc-maçon, et ses frères étaient francs-maçons.

– Nous ne saurons jamais si Napoléon était vraiment un franc-maçon.

– Par contre, moi j'ai été franc-maçon à Paris et cela m'a beaucoup apporté. J'ai arrêté ici depuis plusieurs années.

– Vous me faites penser que mon gouvernement va sûrement demander au Parlement de faire une loi en faveur de la franc-maçonnerie.

– Et des juifs ou d'autres minorités. S'il vous plaît.

– Très juste. Nous allons voir pour aider et protéger les minorités. Vous savez bien que mon parti de droite n'est pas un parti d'extrémistes. Nous ne sommes pas laïcs évidemment.

– Je crois qu'il y a beaucoup moins d'islamistes en Iran qu'au XXIᵉ siècle.

– Beaucoup moins. Les Iraniens se sont gentiment habitués au matérialisme et ils sont devenus moins religieux avec les années.

– Comme dans la plupart du monde, au fond. Ce processus a commencé à la fin du XXIᵉ siècle. Nous ne savons pas pourquoi, mais les habitants de cette planète sont devenus de moins en moins religieux.

– Je pense qu'à force d'aller se détendre sur internet la population mondiale s'est habituée à cliquer sur ce qu'elle voulait au lieu d'être obligée d'entendre des chefs religieux qui vont les endoctriner.

– Au début du XXIᵉ siècle, il y avait beaucoup de gourous islamistes qui endoctrinaient sur internet.

– Je crois que l'entreprise Google a fait en sorte de bloquer ces sites. Les deux fondateurs de Google étaient juifs et ont voulu faire le ménage.

– Comme le patron juif de Facebook.

– Je crois qu'un lointain parent d'un des fondateurs de Google avait été endoctriné par l'Etat islamique et avait tenté de commettre un gros attentat à Los Angeles.

– Très juste. J'avais lu cela dans un livre d'histoire. Le FBI avait trouvé énormément de bombes chez lui. Et c'est après ce triste évènement que Google et Facebook avait interdit l'endoctrinement islamiste sur internet. Ils avaient engagé des dizaines d'ingénieurs parlant l'arabe pour détecter et faire fermer ces sites.

– Cela avait pris dix ans pour mettre totalement fin à l'endoctrinement religieux sur internet.

– Il y avait aussi de nombreuses sectes qui florissaient sur le web.

– Oh! oui. Il aura donc fallu dix ans pour faire totalement le ménage sur internet.

– Attention, le temps passe. Je sens que je viendrai vous voir à Téhéran pour que l'on discute plus précisément des liens entre le parti arabe laïc et votre parti laïc iranien.

– Très juste. Je serai ravi de vous revoir à Téhéran. Nous avons eu une bonne discussion, mais il est vrai que nous avons oublié les sujets fondamentaux.

– C'est donc réglé. Ma secrétaire contactera le vôtre pour un rendez-vous dans le palais présidentiel de Téhéran que je n'ai encore jamais visité.

Ils se quittèrent avec un sentiment d'inachevé, mais la rencontre avait été agréable.

Bruxelles, octobre 2181. Le président de l'Union européenne se disait qu'il était temps d'inviter les présidents des trois pays arabes autour d'Israël dans son palais présidentiel. Depuis la réforme de 2100, les chefs de gouvernement élisaient pour quatre ans un « président » de l'Europe qui devait collaborer avec le Parlement européen et la Commission européenne. Les chefs de gouvernement à l'époque avaient estimé que c'était trop de travail de diriger un pays et en plus de diriger l'Union européenne durant six mois.

Le président de l'Europe avait donc beaucoup plus de temps pour s'occuper de diplomatie et pouvait parler au nom de l'Europe. Il ne savait pas trop s'il devait inviter tous les présidents arabes ou s'il devait en choisir quelques-uns. Il en discuta avec des membres de la Commission européenne et ils décidèrent d'inviter quelques présidents cette année et qu'ils verraient pour l'année suivante. Ils décidèrent donc d'envoyer des invitations en demandant leur disponibilité...

Ce fut la présidence jordanienne qui répondit d'abord. Il fut donc décidé que le président jordanien viendrait en premier à Bruxelles.

Une semaine plus tard, le président jordanien arriva à Bruxelles. Il était aussi prévu qu'il se déplace dans les bureaux de la Commission européenne. Il est à noter que le « président » de l'Europe avait désormais un palais à sa disposition construit entre le Parlement européen et la Commission européenne.

Le président jordanien arriva au palais du président de l'Europe et fut accueilli avec tous les honneurs. Le président de l'Europe commença :

– Monsieur, le président jordanien. Savez-vous que j'ai rencontré le Premier ministre israélien la semaine passée et il ne tarit pas d'éloges sur vous ?

– C'est gentil. Il est vrai que nous avons étudié ensemble à l'Université de Paris Panthéon-Assas et que nous étions très proches.

– C'est une magnifique histoire que la vôtre. Un Israélien, un Jordanien, un Libanais et un Syrien qui se rencontrent à l'Université en Europe étant jeune et décident de démocratiser ensemble l'Orient. Un vrai conte de fées.

– Un conte de fées qui a été grandement appuyé par la franc-maçonnerie et par plusieurs services secrets. Je pense que vous le savez.

– Il est vrai que, contrairement à vous, je continue à fréquenter une loge maçonnique, mais j'ai décidé de me mettre en pause durant mon mandat présidentiel. Mes frères savent que je reviendrai après.

– Moi je ne suis pas sûr. J'envisage de me représenter en 2185.

– Il est vrai que votre mandat dure cinq ans.

– Oui. En Jordanie, en Syrie et au Liban les élections présidentielles et législatives se passent tous les cinq ans.

– Ce sera donc pour 2185.

– Eh oui ! Enfin j'espère.

– Bien. Vous savez que j'ai étudié six mois dans le quartier Latin à Paris ?

– Juste. Vous aviez fait un échange universitaire à Sciences Po Paris.

– Les grands esprits se rencontrent au quartier Latin de Paris.

– Je crois que vous aimez le chocolat suisse et je me permets de vous en offrir.

– Très juste. Cela fait maintenant cent vingt ans que la Suisse se trouve dans l'Union européenne. Ils ont tardé à y entrer.

– Oh ! oui. La Suisse s'était bien appauvrie avec la fin du secret bancaire, et l'Union européenne promettait des milliards d'aide aux nouveaux pays qui intégreraient notre union.

– Un peu comme l'Ukraine.

– Oui. Ce pays a eu plus de mal à s'intégrer, mais maintenant cela va bien.

Ils discutèrent encore pendant une heure puis ils allèrent ensemble à la Commission européenne.

CHAPITRE 18

Novembre 2181. Le parti arabe laïc est au pouvoir depuis plus d'un an en Jordanie, en Syrie et au Liban. Les autres partis politiques ont été un peu choqués au début, mais depuis un ans, ils ont réussi à s'inspirer du parti au pouvoir. Comme beaucoup d'hommes politiques dans les pays arabes s'intéressent à la France, les partis politiques décidèrent de s'inspirer encore plus de ce beau pays.

A Damas, le président du parti socialiste arabe de Syrie était franc-maçon et continuait de fréquenter sa loge dans son pays. Les journalistes syriens avaient fait tellement de publicité aux francs-maçons en 2180 que c'était son avantage de se dévoiler. De plus, le président du parti socialiste libanais avait été aussi franc-maçon et avait donc également révélé son appartenance à la loge à la télévision, comme le chef du parti socialiste syrien.

A Damas, le président du parti socialiste syrien avait donc invité son homologue du Liban et commença :

– Cher ami, notre parti socialiste arabe s'est bien restructuré.

– En effet, nous avons des bonnes relations, et de nombreux échanges sont faits avec les chefs du parti socialiste arabe de plusieurs pays arabes.

– Nous commençons à ressembler au parti au pouvoir en place.

– C'est le but. Pour avril 2185, nous pouvons gagner les élections législatives

– Et je pense que vous allez vous présenter à l'élection présidentielle de mai 2185.

– Evidemment. Comme vous, je pense.

– Nous pouvons nous tutoyer. Et, oui, je me présenterai.

– Tu as raison, camarade. Remarque, nous ne sommes pas le parti communiste arabe.

– Tu sais que les divers sondages prouvent qu'ils ne sont pas une force qui fait peur au pouvoir en place.

– Très juste. Par contre le parti de la droite arabe a de grandes chances de gagner en avril et en mai 2185.

– Je sais, beaucoup de députés de ce parti ont étudié en Europe et ont parfois été en lien avec la franc-maçonnerie.

– Tu as fait une enquête sur l'appartenance maçonnique ?

– Evidemment. Il y a actuellement 15 députés du parti socialiste dans mon pays qui sont francs-maçons ou qui l'ont été.

– Tu as compté ?

– Bien sûr.

– Et du côté de la droite ?

– Ils sont neuf à être ou avoir été franc-maçon dans mon pays. Ce n'est pas clair s'ils ont arrêté ou pas.

– Comme cela vos débats politiques seront moins haineux.

– C'est certain. Nous en avons discuté dans notre loge maçonnique et cela se fera dans le respect mutuel.

– Le président syrien est un ancien franc-maçon, il a arrêté. Comme le président du Liban.

– Il est venu deux fois pour faire un discours, mais il a avoué qu'il ne voulait pas revenir travailler dans une loge maçonnique.

– Je crois qu'il est venu plus souvent à l'Université de Damas et a été approché par des francs-maçons.

– Oui. Ce qui est marrant c'est que les Etats-Unis ne savent pas encore s'ils vont le soutenir lui ou celui de la droite.

– Et toi ?

– Tu sais très bien que les Etats-Unis n'aiment pas trop soutenir les partis socialistes à l'étranger.

– Par contre, tu as le soutien du Parti socialiste européen de Strasbourg et de Bruxelles.

– Très juste. Tu es au courant que j'étais à Bruxelles pour les voir il y a deux mois ?

– En fait, tu penses que le Front national islamiste arabe a des chances dans nos deux pays ?

– Pas dans mon pays. Leurs théories sur le complot judéo-maçonnique énervent le parti au pouvoir. Mais on ne sait jamais.

– Je crois qu'ils sont plus focalisés sur le complot maçonnique.

– C'est pour cela qu'ils n'arrivent pas à percer, car les présidents de Syrie, de Jordanie, du Liban et d'Israël ont été francs-maçons à Paris.

– Par contre, les quatre ne sont plus des francs-maçons actifs.

– Oui. C'est cela lorsqu'on dirige un pays.

A Paris, les députés de l'Assemblée nationale était très honorés de rencontrer le ministre des Affaires étrangères de Syrie. Il était en déplacement dans la capitale française afin de rencontrer son homologue à Paris, mais avait décidé ensuite d'entrer à l'Assemblée nationale. Il en profita pour faire un rapide bilan des mois passés dans son gouvernement et, son lien avec les députés du parti arabe laïc de Syrie. Il n'hésita pas à rappeler que beaucoup de projets de loi étaient inspirés par des lois françaises, car beaucoup de députés regardaient vers Paris. De plus, il demanda une plus grande collaboration entre les députés syriens et les députés français. Il lui fut demandé de faire un rapide discours à l'Assemblée nationale devant tous les députés, et il accepta en commençant en anglais :

– Mesdames, messieurs, je suis très honoré de me trouver parmi vous aujourd'hui. Comme vous le savez, cela fait maintenant plus d'un an que mon parti politique en Syrie a gagné les élections législatives et présidentielles. Nous sommes fiers de ce que nous avons réalisé et je tiens à remercier encore une fois la France pour nous avoir aidés à réformer juridiquement mon pays. Comme vous le savez, nous nous sommes inspirés de votre Constitution, de votre Code pénal et de votre Code civil. De plus, nous avons aussi été influencés dans nos projets de loi par votre Code du travail, votre Code administratif et votre Code du commerce. De plus, je tiens à remercier personnellement les nombreux députés juristes et avocats français qui se sont déplacés à Damas pour nous aider dans nos réformes. Cela fait maintenant plus d'un an que des professeurs de droit d'universités de votre beau pays correspondent avec mes députés pour les aider dans leurs réformes. Je suis très fier de cette collaboration et j'espère que vous les remercierez de ma part...

Le ministre des Affaires étrangères de Syrie continua son beau discours pendant plus de trente minutes.

CHAPITRE 19

Avril 2183. Cela fait maintenant trois ans que le parti arabe laïc a gagné les élections en Syrie, en Jordanie et au Liban. En Arabie saoudite, pour la première fois de son histoire, 20 députés du parti arabe laïc saoudien entrèrent au Parlement aux dernières élections. De plus, presque tous les pays arabes avaient maintenant quelques députés dans leur parlement.

La Jordanie, la Syrie, le Liban et Israël ressemblaient de plus en plus à la France. Après de nombreuses discussions, il avait été décidé de copier la France dans beaucoup de domaines. Depuis, trois ans, les citoyens de ces quatre pays s'étaient donc habitué au mode de vie à la française. De plus, les ministres de l'Education de Syrie, de Jordanie, du Liban et d'Israël avaient réussi à faire imposer la présence de la Déclaration des droits de l'homme et du citoyen de 1789 dans tous les collèges et dans tous les lycées. Le but étant d'habituer les enfants et les adolescents aux droits de l'homme. De plus, les cours d'histoire dans ces quatre pays avaient un gros programme sur la Révolution française et l'adoption de cette fameuse Déclaration des droits de l'homme et du citoyen de 1789, qui se trouvait en entier dans tous les livres d'histoire de Syrie, de Jordanie, d'Israël et du Liban

Les écoles privées religieuses avaient aussi l'obligation de traiter ce sujet, et des inspecteurs de l'Education nationale venaient deux fois par an pour enquêter et surveiller. On trouvait donc la Déclaration des droits de l'homme et du citoyen de 1789 dans les écoles ultra orthodoxes en Israël et dans les écoles coraniques en Syrie, en Jordanie et au Liban.

L'histoire de la construction européenne et de la Déclaration universelle des droits de l'homme de 1948 n'était pas non plus oubliée dans les manuels scolaires des lycées de Syrie, de Jordanie, du Liban et d'Israël. Ce sujet était traité au lycée et non au collège. Par contre, les ministres de l'Education de ces quatre pays avaient estimé que la Révolution française devait être étudiée une fois au collège et une fois au lycée avec un plus grand approfondissement sur la franc-maçonnerie et son apport à la France et au monde depuis 1789. Les manuels d'histoire évoquaient aussi les francs-maçons autour de Napoléon et ceux qui signèrent la Déclaration d'indépendance des Etats-Unis d'Amérique de juillet 1776 à Philadelphie.

Dans le domaine judiciaire, cela faisait trois ans que le Code pénal, le Code civil, le Code du commerce, le Code administratif et la plupart des autres codes de Syrie, de Jordanie, du Liban et d'Israël étaient basés sur le droit français. Parfois, des éléments de droit suisse, allemand, anglais ou italien avaient été repris. Par contre, la base restait le droit français. Cela avait été discuté et voté dans les parlements syrien, libanais, jordanien et israélien.

Dans le domaine de la défense, le budget de ces autres pays avaient beaucoup baissé depuis que les menaces semblaient moins élevées. En Israël, le service militaire ne durait qu'un an pour les hommes et les femmes, mais c'était seulement pour le symbole de ne pas l'abolir. En Jordanie, en Syrie, au Liban et en Palestine, il y avait un service militaire de six mois, mais c'était plus pour permettre aux jeunes de se regrouper sans distinction de race, de religion ou de classe sociale après le lycée ou une école professionnelle. Il est vrai que, depuis que le Liban, la Syrie et la Jordanie semblaient être des havres de paix, de plus en plus d'immigrés du monde entier avaient voulu tenter leur chance pour trouver du travail.

Dans le domaine scientifique, la Syrie, le Liban, la Jordanie et Israël collaboraient énormément et il y avait beaucoup de relations entre les universités de ces quatre pays. De plus, des ingénieurs travaillaient de plus en plus ensemble dans le Proche-Orient et on parlait d'une zone d'intelligence proche-orientale. La Silicon Jordan s'était bien développée, comme la Silicon Wadi d'Israël. Au Liban et en Syrie, ils avaient créé la même chose autour de leurs deux grandes universités mais n'avait pas donné le nom de « silicon ».

Dans le domaine universitaire, des échanges d'étudiants de six mois se faisaient naturellement entre Beyrouth, Amman, Damas et Jérusalem ou Tel-Aviv. La plupart des étudiants préféraient aussi partir aussi en Europe ou aux Etats-Unis, et c'est pour cela que les échanges universitaires entre ces quatre pays ne dépassaient pas six mois. De plus, des cours d'été étaient proposés par l'Université de Tel-Aviv pour des étudiants du Liban, de Syrie et de Jordanie. L'Université de Beyrouth avait aussi créé cela pour les étudiants du Proche-Orient en dehors du Liban.

Sur le plan sociétal, les Jordaniens, les Libanais et les Syriens avaient désormais un mode de vie à l'occidental dans beaucoup de domaines. La plupart des gens s'y étaient habitués, et même les personnes religieuses. Cela faisait trois ans que les gouvernements laïcs étaient au pouvoir, et les Jordaniens, les Libanais, les Syriens et même les séfarades d'Israël adoptaient naturellement un mode de vie laïc. Même les quelques islamistes ou les juifs orthodoxes d'Israël s'étaient habitués à ne pas imposer leur croyance et à ne pas détester les « infidèles ». Il est vrai que l'article 10 de la Déclaration des droits de l'homme et du citoyen de 1789 stipulait que « nul ne doit être inquiété pour ses opinions, même religieuses, pourvu que leur manifestion ne trouble pas l'ordre public ».

Dans le domaine policier, les gouvernements de la Syrie, du Liban, de la Jordanie et d'Israël avaient voulu faire de la prévention avant de possibles condamnations. Des policiers s'étaient invités dans des familles à problèmes pour faire de simples rappels à la loi et donnaient des photocopies de certains articles de loi. Les familles de délinquants et d'extrémistes religieux avaient été ciblées en premier. Les ministres de l'Intérieur de ces quatre pays s'étaient rendu compte que l'entrée de policiers dans un foyer à problèmes avait des effets positifs sur la prévention de la délinquance. Il est à noter que l'incitation à la haine envers les laïcs était désormais un délit pénal. De plus, la haine antisémite ou antimaçonnique avait nettement baissé depuis trois ans.

Divers sondages avait été faits ces deux dernières années, et les citoyens d'Israël, du Liban, de Jordanie et de Syrie étaient majoritairement satisfaits. De plus, le degré de satisfaction augmentait avec les années. Selon le dernier sondage de mars 2183, 70 % des Libanais et des Syriens approuvaient leur gouvernement. En Israël et en Jordanie, ils étaient 80 %.

Beaucoup d'Egyptiens et d'Irakiens regardaient avec envie et jalousie le mode de vie et la liberté des Syriens, des Libanais et des Jordaniens. Ils connaissaient déjà la liberté à l'israélienne, mais cela faisait trois ans qu'ils suivaient discrètement ce qui se passait au Proche-Orient. Il est vrai que beaucoup d'émissions irakiennes et égyptiennes évoqueraient ce que les journalistes avaient appelé la « Révolution laïque du Proche-Orient ».

En Arabie saoudite, au Yémen et dans les petits Etats du golfe, le sujet était moins médiatique, mais il arrivait que des journalistes en parlent. A chaque émission sur le sujet, des millions de téléspectateurs regardaient.

En Lybie et dans les pays du Maghreb, la Révolution laïque du Proche-Orient de 2180 était peu évoquée par des journalistes, mais à chaque fois que des journaux ou des hebdomadaires imprimaient sur le sujet les ventes explosaient. De plus, les rares émissions à la télévison qui évoquaient le sujet voyaient un record d'audience à chaque fois.

En Europe, il y avait depuis trois ans à la télévision de plus en plus de reportages, d'émissions ou de débats sur la Révolution laïque du Proche-Orient. Le terme avait été inventé en Europe quelques jours après les résultats des élections législatives de 2180 en Syrie, en Jordanie, au Liban et en Israël. Les journalistes du monde entier avaient donc gardé cette expression. A la fin de la plupart des débats, tout le monde était d'accord sur le fait que c'était finalement une bonne chose pour le Proche-Orient et qu'il était possible de l'exporter au Moyen-Orient ou au Maghreb. Par contre, des débats houleux se faisaient sentir lorsque des experts évoquaient une possible révolution laïque en Afrique noire. Même si des présidents africains avaient parfois étudié en France et s'étaient rapprochés de la franc-maçonnerie.

En Iran, quelques députés du parti laïc iranien avaient réussi à entrer au Parlement lors des dernières élections, mais ils étaient très peu. Par contre, en Turquie, il y avait désormais un groupe de 30 députés au Parlement. Le Kazakhstan et le Turkménistan n'avaient pas encore de députés dans leur parlement respectif, mais un très petit parti laïc existait désormais. L'Ouzbékistan, l'Afghanisthan, le Pakistan, l'Indonésie ou la Malaisie n'avaient pas encore de parti laïc.

La laïcité ne s'exportait pas seulement dans les pays musulmans, la Russie avait désormais un parti laïc qui militait pour un pays à l'image de la France. Ce parti politique n'était pas antichrétien, mais militait pour imposer la Déclaration universelle des droits de l'homme de 1948 dans son pays et pour une inscription de la laïcité dans la Constitution.

En Asie, il y avait un tout petit parti laïc, au Cambodge et en Birmanie, mais c'était plus un club de philosophie qu'un vrai parti politique. Les autres pays asiatiques n'avaient pas de partis laïcs à proprement parler, mais parfois le sujet était évoqué dans les universités.

Sur le continent américain, tous les pays avaient aussi désormais une association de laïcs, mais, comme en Asie, c'était plus un club de philosophie qu'un véritable parti politique. Même si des Brésiliens, des Argentins et des Chiliens évoquaient parfois la création d'une loi de séparation de l'Eglise et de l'Etat.

En Europe, tous les pays avaient maintenant intégré des éléments de laïcité dans leur Constitution. La séparation entre l'Eglise et l'Etat avait été votée au Parlement européen, et tous les pays sur le continent européen l'avaient acceptée. Pour les quelques pays de culture musulmane de l'Union européenne, ce fut la notion de séparation entre la Mosquée et l'Etat qui fut intégrée dans leur Constitution. Le Parlement européen avait voté sur la neutralité de l'Etat en matière religieuse.

Sur le continent africain, quelques pays avaient créé une association de laïcs, mais l'idée de faire entrer des députés dans leurs parlements respectifs n'était pas encore d'actualité. Même si les pays proches de l'Egypte y songeaient, mais il faudrait avoir de grands chefs qui fédéreraient les laïcs en créant de véritables partis politiques laïcs soudanais, nigérian ou somalien.

En Australie, un petit parti laïc s'était créé il y a deux ans, mais il n'avait aucun député au Parlement...

CHAPITRE 20

Strasbourg, mai 2183. Cela faisait trois ans que la Révolution laïque du Proche-Orient avait eu lieu et, par une étrange coïncidence, la plupart des citoyens des pays de ce monde avaient réfléchi au concept de laïcité chez eux. Il est vrai qu'en 2180 les médias avaient énormément, mais énormément parlé de cette Révolution laïque du Proche-Orient qui avaient été beaucoup, beaucoup plus médiatisée que la Révolution française de 1789.

Les députés du Parlement européen de Strasbourg voulaient donc en parler et il était question d'apporter la laïcité au reste du monde arabe. Elle ne devait bien sûr pas être imposée. Le président actuel de l'Europe était franco-allemand et donc il était, de par sa mère, de culture française. En tant que président de l'Europe, il pouvait venir s'exprimer au Parlement européen de Strasbourg et parfois de Bruxelles. L'idée de base du Parlement européen, de la Commission européenne et de la présidence était d'aider les pays proches de la Syrie et de la Jordanie à s'ouvrir au concept de laïcité. L'Irak, l'Arabie saoudite, la Lybie avaient été évoqués. De plus certains députés français estimaient de leur devoir d'aider l'Algérie, la Tunisie et le Maroc à avoir une majorité de députés laïcs dans leur Parlement. Pour eux, ils n'étaient absolument pas question de néocolonialisme, mais d'un partenariat d'égal à égal.

A la suite de long débats au Parlement européen en présence du président de l'Union européenne, il fut décidé que le président du Parlement européen et le président de l'Union européenne enverraient des lettres recommandées à tous les dirigeants des pays arabes, à l'exception de la Syrie, de la Jordanie et du Liban, en leur écrivant que l'Union européenne voyait favorablement la présence de députés du parti arabe laïc dans tous les parlements des pays arabes et espéraient que ces députés seraient protégés quant à leur intégrité physique et psychique.

Au siège de l'ONU à New York, les présidents de la Syrie, du Liban et de la Jordanie avaient évoqué les bienfaits de leur loi de séparation entre la Mosquée et l'Etat et demandaient aux Nations unies de les aider à proposer ce modèle dans tout le monde arabe. Cela faisait trois ans que la révolution laïque avait eu lieu, et même le Premier ministre d'Israël avait évoqué à l'ONU que plus de 80 % des Israéliens estimaient que la loi de séparation entre la Synagogue et l'Etat étaient une bonne chose. De plus, pour des raisons évidentes, presque 100 % des Israéliens aimaient la loi de séparation entre la Mosquée et l'Etat en Syrie, en Jordanie et au Liban.

Au Caire, un sommet de la ligue arabe avait eu lieu le mois passé, et la plupart des représentants avait été obligés d'admettre que les Syriens, les Jordaniens et les Libanais semblaient beaucoup plus heureux que les citoyens d'autres pays arabes depuis que la loi de séparation entre la Mosquée et l'Etat avait été promulguée. La ligue arabe en avait discuté et il est vrai que le bonheur de leurs concitoyens était une chose importante. De plus, il semblait plus logique et plus intelligent que des lois votées dans des parlements ne soient pas d'inspiration religieuse. Le bien-être des Arabes semblaient plus prioritaire.

A Alger, des membres de l'Union du Maghreb arabe s'étaient réunis. En Mauritanie, des députés du parti laïc arabe venaient de faire leur entrée au Parlement. Le représentant du Maroc commença :
– Messieurs, nous sommes obligés d'admettre que la Révolution laïque du Proche-Orient est une réussite.

– Nos pays sont encore plus proches de France, répondit le représentant de l'Algérie.

– Nos pays ont désormais tous des députés du parti arabe laïc dans leur parlement, ajouta le représentant du Maroc.

– Entre 2183 et 2185, il y aura des élections dans nos pays dit le représentant de la Lybie.

– Des députés du parti arabe laïc vont être plus nombreux cette année dans mon Parlement et c'est une certitude, répondit le représentant du Maroc.

– Comme vous le savez, le président de l'Europe a écrit à nos gouvernements et demandé la protection des députés du parti arabe laïc, dit le représentant de la Lybie.

– Nous ne sommes pas des sauvages, il est évident que ces députés ne seront pas agressés physiquement dans nos parlements, répondit le représentant de la Tunisie.

Ils discutèrent encore sur le sujet pendant une heure.

CHAPITRE 21

Juin 2185, le parti arabe laïc a regagné sans problèmes les élections législatives et présidentielles en Syrie, en Jordanie et au Liban. Le parti laïc israélien a aussi obtenu la majorité absolue au Parlement. De plus, entre 30 et 50 députés du parti arabe laïc sont entrés au Parlement en Irak, en Egypte, en Lybie, en Tunisie, en Algérie et au Maroc.

Le président de la Syrie a été réélu avec 55 % des voix. Les présidents du Liban et de la Jordanie, avec 52 % des voix. De plus, le Premier ministre israélien est toujours très populaire en Israël.

Selon la plupart des journalistes dans le monde arabe, il est évident que le parti arabe laïc restera encore TRÈS longtemps un parti politique important dans tout le monde arabe...

Achevé d'imprimer en 2018
sur les presses de l'imprimerie Slatkine
à Genève (Suisse).